Перевод данной книги был поддержан грантом Немецкого культурного центра имени Гёте (Института им. Гёте), финансируемого Министерством иностранных дел Германии

GOETHE
INSTITUT

Jutta Richter

HECHTSOMMER

Carl Hanser Verlag

Ютта Рихтер

ЩУЧЬЕ ЛЕТО

Перевод с немецкого Святослава Городецкого
Иллюстрации Евгении Двоскиной

Москва **КомпасГид** издательский дом

УДК 821.112.2-34-93Рихтер Ю.
ББК 84(4=432.42)6-45
    Р55

Рихтер, Ютта.

Р55   Щучье лето : [для сред. шк. возраста : 12+] / / Ютта Рихтер ; пер. с нем.
[и предисл.] С. Городецкого ; ил. Е. Двоскиной. — М. : КомпасГид, 2013. — 88 с.:
ил. — Доп. тит. л. нем. — ISBN 978-5-905876-55-4.

Когда солнце светит каждый день, кажется, что снег никогда не
выпадет — и всегда будет лето, река, а в реке неуловимая
серебристая щука.

В старинном немецком замке живут две семьи, и пока взрослые
заняты своими делами, жизнь детей, Анны, Даниэля и Лукаса, идет
своим чередом. И кажется, что так будет всегда. Но постепенно дети
замечают, что с мамой мальчиков что-то неладно. Она все время
устает, теряет волосы, а однажды ее забирают в больницу. И тогда
ловля щуки становится для Даниэля последней надеждой — ему
кажется, что если поймать щуку, то мама обязательно поправится.

Повесть Ютты Рихтер рассказывает о том особом способе, который
выбирают дети, чтоб справиться с проблемами и переживаниями,
которые им не всегда по плечу. И о том, как могут взрослые
помочь им с ними справиться. За «Щучье лето» Ютта Рихтер была
награждена премией LUCHS (2004), Католической детско-юношеской
книжной премией (2005), премией LesePeter (2005). На русском языке
публикуется впервые.

УДК 821.112.2-34-93Рихтер Ю.
ББК 84(4=432.42)6-45

ISBN 978-5-905876-55-4

Предисловие

Перефразируя слова классика, можно сказать, что все счастливые дети похожи друг на друга, а каждый несчастливый ребенок несчастлив по-своему. Рассказывать истории несчастных детей так чтобы, помимо жалости, пробуждалось еще вдохновенное чувство сродни аристотелевскому очищению – задача не менее трудная, чем рассказывать о несчастных взрослых.

Ютта Рихтер (род. в 1955 г.) – наиболее известная детская писательница современной Германии. Она мастерски владеет легким дыханием, отличающим лиричную детскую прозу. Свою первую книгу Рихтер написала в пятнадцать лет, когда семья эмигрировала в американский город Детройт. Написала, чтобы не утратить самое дорогое: родной язык. Позже, переехав в Мюнстер, она изучала теологию и германистику. А в 1978 году Рихтер поселилась в барочном замке Вестервинкель, где живет и по сей день.

За последние тридцать лет Ютта Рихтер написала немало книг, где персонажи взрослых выведены с той же любовью, что и детские. Однако у нее всегда сохранялось желание писать в первую очередь для детей и подростков.

Конечно, все мы родом из детства. И от того, с кем нам случится общаться в первые годы, с какими сложностями столкнуться, во многом зависит наша дальнейшая судьба. Особенно это касается периода внутреннего взросления, в каком бы возрасте оно ни происходило.

На долю братьев Даниэля и Лукаса, героев повести «Щучье лето», выпадает нелегкое испытание: их мать заболевает раком. Но жизнь при этом идет своим чередом, жизнь продолжается. И чтобы победить страх перед потерей самого близкого человека, дети решаются бросить вызов судьбе, пройти своеобразную инициацию: поймать щуку, главного пресноводного хищника. Помогает им в этом их подруга и почти сестра Анна, от лица которой ведется повествование.

«Щучье лето» относится к тем немногочисленным книгам, которые могут поддержать читателя в трудную минуту, поймать на краю житейской пропасти. Такие истории запоминаются надолго и взрослым, и детям – не трагичностью темы, а чудесным преодолением этой трагичности.

После прочтения этой небольшой книги мир остается прежним только внешне, внутренне он заметно преображается.

С. Городецкий

Стояло лето — такое лето, которому не видно конца. И то, что оно будет нашим последним, тогда еще никто не подозревал. Мы даже не думали об этом. Точно так же, как не могли представить себе, что снова настанет зима, морозная зима с настоящим снегом и толстым слоем льда на воде.

Стояло бесконечное лето. Оно началось в мае. Солнце светило каждый день. У пионов появились бутоны, и свечи на каштанах зажглись в одну ночь. Желтым стало рапсовое поле, и высоко над нами стрижи кроили бездонное небо.

Лишь у воды еще сохранялся зимний оттенок: черный и непроницаемый, но стоило подольше повисеть на парапете моста, как мы замечали мелких красноперок, загоравших на солнышке у самой поверхности.

— Водянистые глаза, — сказала я. — Если долго смотреть в воду, будут водянистые глаза.

— Точно, — подтвердил Даниэль.

— И тогда можно посмотреть насквозь и увидеть дно, на котором живет щука!

Лукас очень разволновался и затараторил громким, тонким голоском:

— Вот именно! А когда увидим щуку, нам хватит лески и крючка.

— Как бы не так! — отозвался Даниэль. — Еще нужны садок и сачок!

— Зачем?

— Садок для живца, а сачок — чтоб вытаскивать. Щука оборвет твою леску, если просто тащить.

— А живец зачем? — допытывался Лукас.

— Для приманки, — сплюнув в воду, пояснил Даниэль.

Красноперки с любопытством подплыли ближе. Потом бросились в разные стороны и исчезли.

— Вот она! — воскликнул Лукас.

И действительно, я тоже увидела, как у самой поверхности на долю секунды мелькнула серебристая чешуя, после чего щука снова скрылась в черной непроницаемой толще воды.

Над нами, галдя, кружила стая галок, а две гагары, покачивая головами, проплывали под мостом. Солнце жарило спины, и, когда поверхность воды снова успокоилась, Даниэль сказал:

— Вот мы ее и поймаем! У кого водянистые глаза, тому и щуку поймать под силу!

Ловить рыбу не разрешалось. На прибрежных деревьях висели таблички: «Удить рыбу запрещено. Любое нарушение карается штрафом. Владелец».

— Да он и не заметит ничего! — сказал Даниэль.

— А если мимо проедет граф? Или управляющий? Или еще кто? — поинтересовался Лукас.

— Ну и что, мы просто сидим себе на мосту! Леска прозрачная. Катушка помещается в руке! Взял, сжал кулак — и всё!

— А мама что скажет? Мама тоже против, чтоб мы ловили рыбу! — не унимался Лукас.

Даниэль ничего не ответил, только уставился в черную воду.

У дома управляющего прогремел выстрел из духового ружья, и галки, громко ругаясь, потянулись за красную черепичную крышу.

Лукас подсел ко мне.

— Знаешь, что у Хромушки четыре павлинчика? — тихо спросил он. — Они только позавчера вылупились. Даниэль их еще не видел, а я видел! И мама сказала, что пойдет со мной и поймает для меня одного павлинчика, чтобы я мог его потрогать… Хотите, я покажу вам их?

Я кивнула.

— Пойдем, старина! Твой братец покажет нам своих павлинчиков!

Даниэль и бровью не повел.

— Видал я этих павлинчиков, — пробормотал он. — Мне нужна щука! Павлинчики — это для малышни!

— Павлинчики — это для малышни! — передразнил Лукас. — Моему тупоумному братцу и дела до них нет!

У павы Хромушки была только одна нога. Она служила немым укором о случившемся прошлым летом.

Всякий раз, когда пава ковыляла по двору, мне вспоминалась эта история и становилось стыдно.

Ведь на самом деле я была виновата в том, что у нее одна нога. В конце концов, именно я была старшей.

Гизелу забрали в больницу, и я пообещала, что обо всем позабочусь. Не просто помогу мальчикам сделать уроки, как обычно. Нет, по-настоящему позабочусь — так, чтобы Даниэль и Лукас не оставались одни целыми днями, до того как Петер придет с работы. Дни тянулись долго, и мы все время занимались тем, что ловили красноперок.

Маленьких глупых красноперок притягивали крошки хлеба. Больше всего им нравился белый, свежий-свежий белый хлеб. А у Гизелы в хлебнице его всегда было предостаточно.

Потому что Петер каждый вечер приносил в портфеле батон свежего белого хлеба. Это Гизела ему поручила, прежде чем ее увезли.

— Не забывай покупать мальчикам хлеб! Они приходят из школы очень голодные! И помни, белый им нравится больше! Не забудь!

Наверное, Петер не обрадовался бы, узнай он, что добрую половину его батонов мы скармливали безмозглым красноперкам, но он об этом даже не догадывался. Наоборот, он очень радовался, что к вечеру не оставалось ни крошки.

Я тайком ухмылялась и думала, как наивны эти папочки: они даже не знают, что двум мальчуганам в жизни не съесть целого батона.

Однако ловля красноперок оказалась делом нешуточным. Одним ведром было не обойтись.

Мы привязывали к ведру зеленую бельевую веревку, опускали его под воду, а сверху бросали хлебные крошки. Когда вода начинала кишеть жадно накидывавшимися на хлеб красноперками, мы вытягивали ведро. Но каждый раз слишком медленно. Красноперки юркали в разные стороны, и ведро оставалось пустым.

— Так рыбу ловят только чайники, — рассудил Даниэль. — Мы ее так сто лет не поймаем! Такое могло прийти в голову только девчонке!

Он сплюнул в воду.

— А у тебя есть идея получше?

— Конечно! — воскликнул Даниэль. Порывшись в кармане, он выложил на каменный край моста катушку с нейлоновой леской. А из другого кармана вытащил маленький рыболовный крючок с заостренным кончиком.

И начал продевать прозрачную леску в ушко крючка, потом сделал пять узелков и крепко затянул леску.

— Откуда у тебя крючок? — спросила я.

— Выменял! — ответил Даниэль, насадив на него хлебный комочек.

— Но это ужение, а удить нельзя! — встрял Лукас.

Даниэль опустил леску в воду.

— А если нас застукают? — поинтересовался Лукас.

Я положила ему руку на плечо, и мы стали смотреть в воду.

Самые мелкие красноперки тут же подплыли поближе и стали отщипывать по чуть-чуть хлеба. Внезапно среди них появилась одна большая и жадно набросилась на целый кусок. Даниэль дал леске немного размотаться, а потом резко дернул на себя. Леска натянулась, и мы увидели, как красноперка пытается освободиться от крючка. Она била хвостом, вертелась из стороны в сторону, но крючок не пускал.

«Рыба на леске, что собака на поводке», — подумала я.

— Вытаскивай! — закричал Лукас.

И Даниэль вытащил. Красноперка трепыхалась как бешеная, изгибалась и била хвостом. Лукас схватил ее, но она выскользнула у него из рук и болталась в воздухе, пока он снова не схватил ее — на этот раз уже крепко.

— И что теперь? — спросила я.

— Теперь надо снять ее с крючка, — сказал Даниэль.

— Так снимай, и поживей!

— Я к ней не притронусь, — сказал Даниэль.

— Трус!

Большим и указательным пальцами Лукас раскрыл рыбий рот. Крючок прочно сидел в губе. Лукас взялся за крючок и надавил им еще немного глубже. Послышался легкий хруст, и рыба освободилась. Трепыхания прекратились. Похоже, она была мертва.

— Все кончено, — сказала я. — Брось ее обратно!

Одно-два мгновения рыба недвижно лежала в воде, потом внезапно вильнула хвостом и ушла на глубину.

Рука Лукаса вся была в слизи и пахла рыбой. Он вытер ее о штаны.

— Они выделяют слизь, когда боятся, — сказал Даниэль.

«Это рыбий пот, — подумала я. — Стать скользкими — их последний шанс. Так они могут выскользнуть даже из клюва цапли». Но в то же время все это было очень противно, и мне больше не хотелось кого-нибудь ловить.

— Давайте еще что-нибудь поделаем, — предложила я. — Как насчет дартса?

— Смеешься, — отозвался Лукас. — Только мы научились ловить рыбу, как тебе сразу надоело.

— Но мне все это не нравится, — сказала я. — Рыбе наверняка больно от крючка. Получается, мы мучим животных!

— Чушь, — возразил Даниэль. — Ты же видела, как она ожила. Она и думать забыла о крючке. У рыб вообще нет памяти.

«Как и голоса, — подумала я. — Они даже закричать не могут».

Даниэль попытался снова размотать леску, но у него ничего не вышло, потому что она запуталась. Он тихо выругался. Потом достал свой перочинный ножик и попросту отрезал запутавшийся кусок.

Когда Гизела вернулась из больницы, во дворе замка везде валялись обрывки лески. Потому что рыбу мы ловили почти каждый день, и даже меня охватила эта странная лихорадка. У меня замирало сердце, когда крючок с хлебом танцевал на волнах, а глупые красноперки бросались к нему. Проглотят или нет? Или только отщипнут крошки?

И тут произошла история с павой.

Сколько я себя помню, павлин и пава всегда жили в замке. Павлина мы нарекли Павлушей, и когда я зимой открывала окно, то звала его прямо с крыши. Он отталкивался и важно парил над замковым рвом, потому что знал, что я насыплю ему кукурузных зерен. Пава стеснялась и, как правило, появлялась чуть позже. И с руки она тоже не ела.

Летними ночами павлины спали на старом каштане и тревожили тишину, как только их будил какой-то непривычный звук — смех, пение, кашель или шаги влюбленной пары, гуляющей под луной.

Первым заметил Лукас. Он ждал меня в дверях, когда я вернулась из школы.

— Пава заболела, — сказал он. — Она хромает, и у нее одна нога почернела. Пойдем, ты ее осмотришь!

Мы побежали на Южный луг, где павлины дни напролет выискивали червей. Я взяла с собой горсть кукурузных зёрнышек. Мы закричали: «Павлуша!» Тот сразу же слетел с каштана, а за ним нерешительно и недоверчиво появилась пава. Когда она подошла ближе, я увидела, что произошло: тонкая прозрачная леска намоталась ей на ногу. Нога почернела, и пальчики обвисли вяло и безжизненно. Она поджала больную ногу и прыгала на другой.

Лукас схватил меня за руку.

— Это же наша леска, — прошептал он. — Нам надо что-то сделать.

Три дня подряд мы пытались поймать паву. Бегали за ней с сетями и покрывалами, подманивали хлебными крошками и кукурузными зёрнами. Но пава была проворнее. Громко крича, она перепархивала на другую сторону рва. А на третий день мы попались управляющему.

Он вырос перед нами внезапно, словно из-под земли. В своих тяжелых охотничьих сапогах и зеленых гамашах он стоял, уперев руки в боки, и глядел на нас сверху вниз взглядом рассвирепевшей акулы. Потом зарычал. Что это мы себе позволяем! Совсем стыд потеряли! Как мы только осмелились преследовать павлинов графа! Можем даже не сомневаться, что в следующий раз наши родители получат письменное извещение о запрете гулять на Южном лугу!

Больной ножки павы он даже не заметил. А мы не решились сказать, ведь тогда всплыла бы история с ужением, а мы боялись управляющего. Когда он ушел, Даниэль упал на землю и разрыдался. Я еще никогда не видела, чтобы он так рыдал. У него дрожали плечи, и он громко всхлипывал, уткнувшись лицом в траву.

— Это все моя леска! Я виноват! Если она умрет, я буду виноват!

— Нет, нет, — успокаивала его я. — Это несчастный случай. Ты тут ни при чем!

— При чем! — воскликнул Даниэль и разом вскочил на ноги.

— Я всегда виноват! — прокричал он и бросился бежать.

—Думаешь, она и правда умрет? — взяв меня за руку, спросил Лукас.

Я не знала, что ответить. Знала только, что на наше лето наползла какая-то мрачная туча и мне этого не забыть.

Больше мы уже не рыбачили. А когда пришла осень, паву прозвали Хромушкой. Чёрные пальчики отвалились, но сама она осталась жива.

А теперь у нее появились четверо павлинчиков. И Даниэль даже не хотел на них взглянуть, из-за чего я ужасно злилась.

— О маме можешь даже не вспоминать, она слово никогда не держит!

— Держит! — сказал Лукас.

— Нет! — Даниэль пнул стену. — Нет! Нет! Нет!

Я догадывалась, о чем он, и знала, что произошла какая-то перемена. Но никто не мог нам ничего объяснить. Говорили только, что Гизеле лучше себя поберечь, что у нее нет ничего серьезного и что врачи ей помогут.

Когда мы задавали вопросы, взрослые пожимали плечами и говорили: все образуется. Не беспокойтесь. Все образуется.

Но говорили они это как-то неуверенно и потом сразу спрашивали, как дела в школе и хорошо ли мы учимся.

Гизела не ходила на работу с начала мая, при том что идти ей было всего тридцать шагов — через двор в контору управляющего. Тридцать шагов, которые она всегда проходила, сколько мы себя помнили. Она махала нам рукой из окна конторы, когда мы днем возвращались из детского сада, махала, когда чуть позже мы играли в песочнице, махала пасмурными ноябрьскими днями, когда настроение портилось, потому что задачка по математике никак не решалась.

Тридцать шагов, сколь-
ко мы себя помнили, и она
пролетала их быстро, на од-
ном дыхании, широким ша-
гом, словно боялась опоз-
дать: в контору, домой, на
тренировку, на родитель-
ское собрание, на день рож-
дения. Она всё куда-то спе-
шила, у нее никогда не было
времени.

Так и слышу, как она
кричит:

— Даниэль, а ну марш домой! И не забудь прихва-
тить брата!

А потом ругается, потому что оба насквозь прово-
няли рыбой.

— Когда же это кончится? Вам обязательно их тро-
гать? Сейчас же мойте руки! И как следует!

— Она сидит на больничном, — говорила моя мать. —
Все образуется, даже не думайте об этом!

Ближе к вечеру мы забирались на дерево и ломали
голову над тем, откуда взялось выражение «сидеть на
больничном». Все подолгу молчали, и я успевала счи-
тать пробивавшиеся сквозь крону лучи.

Казалось несправедливым, что Гизела должна быть
на больничном, Даниэль даже сказал:

— Если б я мог, я посадил бы маму на здравничный.

— И все бы стало как раньше, — отозвался Лукас. — Мама не валялась бы в постели, а снова костерила нас на чем свет стоит!

Даниэль отломил ветку и стал хлестать ею ствол дерева. На нас дождем посыпались листья.

— Хватит! — попросила я.

Но Даниэль не унимался.

— На-боль-нич-ном! — нервно смеялся он, отбивая такт. — На-боль-нич-ном! На-боль-нич-ном!

Слезы катились по его щекам, и я не знала, плачет он или смеется.

Восьмого мая на рапсе лопнули почки. Утром, когда мы шли в школу, все было как всегда: дымка над рвом, цапля на дереве, обагренный лучами восходящего солнца красный бук и повсюду вокруг матово-зеленое поле рапса.

У начальной школы стоял автобус.

— До скорого, — крикнул Лукас и помчался через школьный двор.

Мы с Даниэлем сели внутрь.

Уезжать мы могли бы и позже, но Гизела была против.

— Будете ходить вместе! И все тут! Один за всех, и все за одного!

И вообще-то так было даже лучше, потому что в следующий автобус всегда набивалось слишком много галдящих и суетящихся детей.

Даниэль молчал. С утра он был бледным и усталым. Сидел рядом со мной, смотрел в окно и, казалось, сны досматривал. Я понимала, что его лучше оставить в покое.

Автобус ехал мимо крестьянских дворов, живых изгородей, плакучих ив и конских пастбищ. Иногда на глаза попадались лисы, блуждавшие по полю в поисках косуль.

Обширные дворы располагались на большом расстоянии друг от друга, а у детей, что там жили, были двойные фамилии: Шульце-Хорн, или Шульце-Веттеринг, или Шульце-Эшенбах. Да и имена у них были непохожи на наши: Мария-Тереза Шульце-Хорн, Анна-София Шульце-Веттеринг, Хубертус Шульце-Эшенбах…

Хуторские дети постоянно враждовали с деревенскими, но к нам они не лезли. Мы-то были за́мковыми.

— Замковые дети — статья особая, — обмолвилась как-то раз Гизела. — Не забывайте об этом и ведите себя прилично! В гостях берут только один кусок торта и спрашивают, чем помочь. Зарубите себе это на носу!

Отвесив Даниэлю подзатыльник, она добавила:

— А ты не стой все время как вкопанный! Бери пример с младшего брата! Прежде чем зайти в чужой дом, надо улыбнуться и поздороваться!

— Ну не будь с ним так строга, — успокаивала ее моя мать, положив руку Даниэлю на плечо. — Он просто немного стесняется, это пройдет.

Даниэль весь покраснел, а мне стало неловко за мать. Даниэль не стеснялся. Он был молчалив и говорил только то, что было действительно важно.

Взрослые вели себя так, словно знали нас как облупленных. А сами ничего не понимали.

Хуторские дети с нами не играли, потому что мы были за́мковыми, да и деревенские нас недолюбливали, потому что хуторские нас не задирали. Но мы об этом никому не говорили, особенно взрослым. Им все равно было невдомек. Нам вполне хватало нас троих.

Школьный автобус постепенно наполнялся. Мы сидели на своих постоянных местах, сразу за водителем, и Даниэль полусонно посматривал в окно. Неподалеку от двора Шульце-Веттеринг на обочине лежала мертвая кошка. Даниэль толкнул меня локтем:

— Видела?

Я кивнула.

— Если б она была моей, я бы завыл от горя! А эта смеется!

Он кивнул в направлении Анны-Софии. И правда — Анна-София Шульце-Веттеринг и Мария-Тереза прислонились друг к другу головами и над чем-то хихикали.

— Может, это не ее! — возразила я.

— Спорим?!

Даниэль отвернулся и снова уткнулся в окно.

Я знала, что он вне себя от злости, потому что очень хотел кошку, но Петер был непреклонен:

— Кончили разговор. У твоей матери аллергия на кошачью шерсть. И пока мать больна, ни одно животное не переступит порог моего дома! Тем более кошка!

Когда мы проехали двор Шульце-Эшенбахов, Даниэль вдруг сказал:

— Она лысеет.

— Кто лысеет?

— Мама.

Я вздрогнула.

— Смеешься?

— Я сам видел. Она берется за волосы, и они выпадают.

Волосы Гизелы — точно, как у Белоснежки: длинные, каштановые.

Раньше она всегда заплетала их в косу, которая прыгала на спине, когда Гизела бежала. Теперь же она все чаще носила платок, но я думала, это для красоты. Мамы часто модничают. У моей матери вот уже четыре недели рыжие волосы, огненно-рыжие, выглядит она как актер из рекламы кетчупа. Я бы так на улицу не вышла, но что есть, то есть.

— Да ладно! — сказала я. — Хорош придумывать!

— Я сам видел, — повторил Даниэль и надолго замолчал.

Когда мы в тот день возвращались из школы, почки на рапсе уже лопнули. Мы еще издали увидели, как вспыхнуло поле.

Для нас это были самые чудесные цвета: рапсово-желтый, буково-красный, а над ними небесно-голубой.

— Смотришь и радуешься! — сказал как-то Лукас. И был прав.

Но сегодня все складывалось иначе, потому что я думала о волосах Гизелы и меня охватывал страх.

Мама стояла в кухне и гладила.

— Как школа?

— Отлично!

Мама рассмеялась. Мы играли в эту игру из года в год. Каждый день один и тот же вопрос. И один и тот же ответ.

Игра называлась «Как-школа-отлично». Мама говорила, что и бабушка ежедневно спрашивала о том же.

— В детстве я это ненавидела, — призналась мама.

— Так зачем же спрашиваешь?

— Потому что теперь я мама и все мамы это спрашивают!

Она гладила, смеялась, и ее волосы переливались на солнце.

— Мама? А Гизела облысеет?

Мама вздрогнула. Отставила утюг в сторону.

— Кто это тебе сказал?

— Даниэль!

Мама опустилась на табуретку.

— Пойди-ка сюда, голубушка.

Я села рядом. Она достала сигарету из пачки, закурила и стала выпускать дым через нос. Я ждала, что она что-нибудь скажет, но она лишь сидела с серьезным лицом и лихорадочно затягивалась.

Стояла такая тишина, что слышно было, как тикают часы в гостиной. Муха жужжала у оконного стекла, и время от времени попыхивал паром утюг.

Мама откашлялась.

— Значит так, — сказала она. — Я тебе сейчас все объясню, только ты обещай мне, что ничего не скажешь Даниэлю. И тем более Лукасу.

Я сглотнула слюну и кивнула, сердце готово было выскочить из груди.

— У Гизелы рак, — тихо сказала мама. — Это очень тяжелая болезнь, голубушка. И врачи стараются вытравить ее из Гизелы разными ядами. Настолько сильными, что от них выпадают волосы. Настолько сильными, что Гизелу от них тошнит. Ей приходится лежать в постели.

— Мам, но она же поправится?

У мамы на глаза навернулись слезы.

— Надеюсь, — проговорила она. — И Гизела надеется. И врачи тоже надеются. Многие из тех, у кого была эта болезнь, выздоравливали. А волосы, — добавила мама, — отрастали снова. Только обещай мне, что не проговоришься мальчикам. Гизела не хочет, чтобы они знали, и Петер тоже! Понятно?

Я еще раз кивнула.

Есть «до» и есть «после», а еще есть «сейчас».

«Сейчас» была кухня с шипящим утюгом, плачущей мамой и солнечными лучами, падавшими сквозь окно на кухонный стол. «Сейчас» — та минута, когда я пожалела, что задала вопрос.

К чему твое вечное любопытство? Детям этого лучше не знать. Тебя это не касается. Вырастешь — узнаешь.

«Сейчас» было тем мгновением, когда мне снова хотелось стать малышкой. Заснуть на руках у мамы. Улечься на двух креслицах, как в кухне у бабушки. Пусть взрослые сидят за столом и вспоминают, что было когда-то давным-давно. Как толстый дядя Эвальд украл с рождественской елки позолоченную скрипку, и вместо подарка ему на тарелку положили солому. Одну солому!

И пусть толстый дядя Эвальд сидит себе с сигарой и смеется так, будто нет ничего забавнее, чем получить на Рождество тарелку соломы. А я буду лежать в своей постельке на двух креслицах и засыпать под рассказы взрослых.

— Многие из тех, у кого была эта болезнь, выздоравливали, — сказала мама.

Но я знала, что она солгала. Все, у кого был рак, умирали. И бабушка, и толстый дядя Эвальд с сигарой, и даже моя первая морская свинка… никто не выздоравливал, после того как в воздухе повисло слово «рак».

«Что морские свинки не вечны, это понятно, но от матерей можно было бы ожидать, что они подождут умирать, пока их дети не вырастут», — думалось мне.

У меня ум зашел за разум, я страшно перепугалась и с огромным удовольствием выбила бы сигарету из маминой руки. Ведь на пачке было написано: «Курение вызывает рак». Хотя, может, и это было вранье — Гизела-то никогда не курила.

Восьмого мая на рапсе лопнули почки. Утром, когда мы шли в школу, все еще было по-старому, а теперь у Гизелы обнаружился рак.

У крючка для щуки было три острия, и он был в четыре раза больше крючка для красноперок. Даниэль осторожно вытащил его из носового платка и положил на каменный парапет.

— Ты что, серьезно? — спросила я.

— И еще как!

— А сачок, а садок?

— Будут на следующей неделе!

— Откуда?

— Твоя мама обещала. Она возьмет меня с собой в магазин для рыболовов!

— Врешь!

— Сама у нее спроси!

Я бегом бросилась домой и настежь распахнула входную дверь. Мама лежала на диване, погрузившись в послеобеденный сон. Я растормошила ее.

— Что случилось, что еще стряслось?

— Так нельзя! — закашлялась я. — Ты не имеешь права!

— На что? — рассердилась мама.

— Ехать в магазин с Даниэлем! Так нельзя! Покупать ему сачок и садок!

— Ну и что? Почему бы ему не купить их? Он же, в конце концов, на них скопил! Если 6 и ты копила, тоже могла бы что-нибудь купить!

— Дело совсем не в этом, — заголосила я. — Ты просто ничего не понимаешь.

— Не смей так со мной разговаривать! — голос мамы стал угрожающе тихим. Ее ледяной шепот напоминал шипение змеи. Она говорила очень отчетливо, и я догадывалась, в каком она бешенстве. Но теперь мне было все равно.

— Покупать ему… — повторила я.

Но мама оборвала меня резким движением руки.

— Пошла вон! — прошептала она. — Как тебе не стыдно! Как тебе не стыдно ревновать!

В своей комнате я бросилась на кровать. И только тогда дала волю слезам. Я ничуть не ревновала, просто не хотела, чтобы Даниэль поймал щуку.

Если у него будет сачок, он вытащит ее. А если вытащит, то наверняка убьет. Просто убьет. Вот чего мне не хотелось!

Пока Даниэль и Лукас ловили красноперок, я сидела на дереве и кипела от злости. Злилась я на Даниэля, на маму, на весь белый свет. И впервые в жизни мне захотелось, чтобы у меня появилась подруга. Такая, как Анна-София Шульце-Веттеринг, с которой можно было бы шептаться и хихикать, прислонившись друг к другу головами. Подружка, с которой можно было бы валяться на соломе и болтать о чем угодно. И о Гизеле, и о щуке, и о том, что от рака еще никто не вылечился.

Такую, как Анна-София Шульце-Веттеринг, которая знала о жизни все: и о рождении, и о смерти — она же сто раз видела, как рождаются телята, как забивают свиней. Такую, как Анна-София Шульце-Веттеринг, — уж она-то найдет ответы на мои вопросы, а не станет рыдать. По мертвой кошке она ведь не рыдала.

С дерева мне открывался вид на весь двор. Я видела, как вернулся домой Петер. Он нес портфель под мышкой и шаркал, как Даниэль.

— Когда-нибудь он запутается в собственных ногах! — частенько говаривала Гизела моей матери. Тогда мы были еще совсем маленькими, и как только Даниэль

начинал реветь, она называла его «Даниэла», протяжно выводя «а-а-а» в конце.

Петер вытащил ключ из кармана куртки и открыл входную дверь. За ней я на мгновение увидела Гизелу. Гизела стояла в коридоре, обняв Петера, и у нее действительно больше не было волос.

Я слезла с дерева и вывела из сарая велосипед.

Раньше мы часто катались после обеда. Гизела, мама, Даниэль и я. Лукас сидел впереди, в креслице у Гизелы, потому что еще не умел кататься, но мы-то с Даниэлем умели — даже без рук, на полной скорости, гораздо быстрее остальных. Я помнила все выбоины на дороге, знала, когда надо притормозить, чтобы спокойно проехать под шлагбаумом.

— Гоняет, как мальчишка! — говорила Гизела, а мама смеялась, кивала головой, после чего обе громко затягивали какую-нибудь песню: «We all live in a yellow submarine» или «Killing me softly with his song» или народную «Нет края лучше в этот час».

А Даниэль тайком закатывал глаза, строил рожи и всем видом показывал, что его сейчас стошнит.

Неподалеку от двора Шульце-Веттерингов я оробела. Я отчаянно жала на педали и при этом придумывала, что скажу. Позвоню в дверь, и, если откроет ее мать, спрошу, дома ли Анна-София. А госпожа Шульце-Веттеринг, улыбнется и скажет:

— Заходи скорее в дом, вот Анна-София обрадуется!

Но, может быть, все будет совсем иначе. Может, на меня выскочит их цепной пес, а старший брат Анны-Софии выйдет из сеней и крикнет:

— Проваливай! Ты же за́мковая. Ну и катись отсюда!

И еще я не знала, что сказать Анне-Софии. Мы еще ни разу друг с другом не разговаривали, и не могла же я просто брякнуть: «Анна-София Шульце-Веттеринг, будь моей подругой!»

Когда я на обратном пути переезжала через наш мост, Даниэль и Лукас по-прежнему ловили рыбу. Лукас побежал ко мне навстречу. Глаза его радостно светились.

— Смотри, сколько мы наловили!

Рядом с Даниэлем стояло зеленое ведро Гизелы, полное воды и кишащей в ней рыбы. Я насчитала семнадцать красноперок.

— Я их сам с крючка снимал! — ликовал Лукас. — Братец-то у меня трусоват! Не любит рыбьей слизи. Без меня бы тут ни одной не было.

Ему хотелось меня обнять, но я отпрянула:

30

— Не трогай меня своими вонючими руками! Ах, как же вы мне противны!

Лукас посмотрел на меня ошарашенно. Огонек в его глазах потух. Голова поникла.

— К тому же тут запрещено удить! — добавила я. — Я пожалуюсь управляющему!

Даниэль неторопливо достал крючок из воды, потом обернулся и положил руку на плечо Лукаса.

— Оставь моего брата в покое! — тихо проговорил он. — А управляющему — жалуйся. Нам теперь разрешено удить. Со вчерашнего дня. Сам граф приходил к маме и дал нам разрешение!

Я была вне себя, поставила велосипед в сарай и бросилась домой.

Они сидели за кухонным столом, и на какой-то миг мне показалось, что все было как прежде.

Мама смеялась, Петер ухмылялся, а Гизела мешала сахар в чае.

Раньше они часто так сидели, светлыми летними вечерами, после того как Петер возвращался с работы. Они болтали, пили клубничный или абрикосовый крюшон, а иногда даже и нам давали попробовать.

— Только глоточек, а не то сразу захмелеете!

И, конечно, мы им нисколько не верили, потому что крюшон был похож на лимонад.

Мама смеялась, Петер ухмылялся, а Гизела размешивала сахар в чае. Я так и замерла на пороге кухни.

— Иди сюда, моя девочка! Дай-ка тебя обнять! — сказала Гизела. — Как же я давно тебя не видела!

У нее на голове был темно-красный платок в мелкий черный горошек, повязанный как тюрбан. Я бы с удовольствием расспросила, как накручивать такой тюрбан, но у меня не хватало духу. Подойти и обнять ее я тоже не отваживалась, так и стояла как вкопанная, и тогда мама сказала:

— Как баран на новые ворота.

— Что с тобой? — спросила Гизела. — Ты же не робкого десятка.

Больше всего мне хотелось провалиться сквозь землю, но я только покраснела и надеялась, что они этого не заметят, но они заметили, и мама, нервно рассмеявшись, быстро сказала, что все это переходный возраст и что я уже не первый день такая скованная.

— Дети становятся взрослыми, — сказала мама, но Гизела только непонимающе смотрела, не веря ни единому слову.

— Поссорились мы, — буркнула я.

Гизела вздрогнула.

— Из-за чего? — спросил Петер.

— Они все время рыбу ловят, а мне противно!

Гизела закашлялась. Она так долго кашляла, что Петер принялся хлопать ее по спине, но к тому времени у нее уже слезы по щекам потекли.

— Ни за что не ссорьтесь! — сказала Гизела. — Вы же за́мковые дети. Вам надо держаться друг за друга. Один за всех, и все за одного!

Я не могла разобраться, от кашля она плачет или всерьез. И хотя по скатерти прыгали солнечные зайчики, меня пробирал холод.

— Пойду к себе, — буркнула я.

А поднимаясь по лестнице, услышала, как мама говорит:

— Не бери в голову, Гизела! Все образуется! Ты же знаешь, дети есть дети. Завтра от ссоры и следа не останется!

Но мама ошиблась. След остался. И завтра, и послезавтра. Молча отправлялись мы в школу, молча сидели рядом в автобусе, молча несли домой двойки за контрольную по английскому. После обеда Даниэль и Лукас ловили одну красноперку за другой, пока я часами каталась по лесным дорожкам на велосипеде или, лежа в траве, считала облака.

Уже не помню, кому эта идея пришла в голову. Быть может, маме, под ее новые рыжие волосы, или Гизеле, под ее платок. Не могу представить себе, чтобы до такого додумался Петер. Он по большей части держался в стороне и почти не лез в наши дела. Утром он уезжал на работу и возвращался только вечером. Он выносил мешки с мусором и доставал дрова из сарая. По субботам он отправлялся на рынок и делал покупки на неделю. Вечно он что-нибудь куда-нибудь нес: ведра с водой, пакеты с едой, портфель, дрова для изразцовой печки.

Иногда я думала, что все папы таковы.

Папы нужны для черной работы. Таскать тяжести, чинить газонокосилку, сколачивать по́лки. Папы умеют латать дыры на велосипедных камерах и управляться с инструментами. Умеют рубить деревья, но не умеют сажать редиску, задавать вопросы и утешать.

И когда я так об этом думала, мне было все равно, что мой отец ушел от нас. Мы с мамой умеем носить ведра, и если понадобится, сами сколотим полки в моей комнате.

Уже не помню, кому это пришло в голову. Помню только, что была не в восторге от этой идеи, как, скорее всего, и Даниэль — в конце концов, мы ведь уже две недели друг с другом не разговаривали.

В газетах писали, что такого лета, как грядущее, уже целый век не было, а по телевидению диктор объявил, что сейчас стоит самый теплый май за всю историю измерений температуры. Каждый день после четвертого урока нас отпускали из школы из-за жары, потому что уже в десять утра термометр показывал двадцать восемь градусов в тени.

— Как школа?

— Отлично!

— У меня для тебя сюрприз! — сказала мама. — Угадай, какой!

Лицо у меня, наверно, было то еще, потому что мама сразу рассмеялась.

— Сегодня вечером будем жарить мясо на гриле!

Да, это действительно был сюрприз, потому что мы уже целую вечность этого не делали. Старый мангал давным-давно стоял в подвале и потихоньку ржавел.

— Для нас двоих это слишком жирно! — то и дело отвечала мама, когда я спрашивала о гриле. — Слишком хлопотно! Мясо можно и на сковородке поджарить.

Гриль вызывал в памяти то время, когда я еще была совсем маленькой и отец жил с нами. Это он отвечал за гриль, разжигал угли и показывал мне, как пекут хлеб, намотав тесто на шампур. Думаю, маме не хотелось, чтобы я об этом вспоминала. И, возможно, ей самой тоже не хотелось об этом вспоминать, потому что те вечера, когда мы делали мясо на гриле, были так чудесны. Мама с отцом не ссорились, а смеялись и иногда даже целовались.

Некоторое время я пребывала в совершенном восторге, потом мама сказала:

— Гизела с Петером тоже придут, а для вас, дети, испечем хлеб на шампурах!

Восторг мой лопнул, как воздушный шарик. Взглянув на носок туфли, я закусила губу.

— Что-то не вижу радости, — сказала мама. — И не делай все время такое лицо!

Они пришли в семь. Петер принес мясо для гриля. Мама открыла вино. Потом обняла Лукаса и погладила Даниэля по голове.

Гизела сразу же села в садовое кресло, куда мама на этот раз положила дополнительную подушку. Гизела едва дышала, словно вернулась с долгой пробежки, хотя идти до нас было только пятьдесят шагов.

Меня отправили на кухню за стаканами.

— И захвати яблочный сок! — крикнула вдогонку мама.

Я не особенно торопилась.

Обернувшись, я увидела за собой Даниэля. Вздрогнула.

— Чего тебе?

— Хочу помочь!

— Сама справлюсь!

— Не будь дурой! — Даниэль попытался взять у меня бутылку с соком.

— Отпусти! — он потянул бутылку. — Отпусти! Я же все равно сильнее!

— Ничего подобного!

— Сильнее! — одним рывком он выхватил у меня бутылку. — Вот видишь!

Раскрасневшись, мы стояли друг против друга и вдруг прыснули со смеху. Так расхохотались, что я чуть стаканы не уронила.

— От тебя рыбой несет! — фыркнула я.

— А от тебя обиженной колбасой! — парировал Даниэль.

— Хотите, чтоб мы умерли от жажды? — прокричала снизу мама.

— Ага, — хихикнула я.

— Сейчас идем! — крикнул в ответ Даниэль.

Мы стали спускаться по лестнице.

— Смотри, бутылку не урони!

— А ты — стаканы!

Когда я поставила на стол стаканы, а Даниэль разлил сок, Гизела расцвела, и мама тоже улыбнулась, но от замечаний они, к счастью, воздержались.

Петер разжег гриль и принялся жарить мясо, а Лукас помогал отцу.

Они вспоминали — о том времени, когда еще был цел свинарник, о большом пожаре, о том, как однажды на Рождество графиня созвала детей в замок и дала каждому по подарку и пакетику с печеньем.

— Это было так давно, — сказала Гизела. — Так давно, что вас тогда еще и в помине не было!

Стемнело, и Петер зажег небольшие факелы. Мама поставила на стол свечи в стеклянных цилиндрах. Нам троим разрешили взять по факелу и погулять, и мы помчались по аллее каштанов до лягушачьего пруда. Одинокая сова безмолвно парила над нашими головами.

Даниэль достал из кармана брюк две пластмассовые палочки.

— Знаешь, что это?

Я покачала головой.

— Это неоновые огоньки. Их используют для ловли угрей.

— Как это?

— Угрей ловят ночью, сгибают эти палочки, и они начинают светиться. Огоньки привязывают к леске. Как только угорь клюет, он утягивает огоньки под воду, и становится видно, что он там делает.

Мы воткнули факелы в землю и отошли от них. Даниэль согнул палочку, и в ней действительно затеплился огонек. Она стала похожа на огромного светлячка.

— Дарю! — сказал Даниэль.

Когда мы вернулись, кресло Гизелы опустело.

— А где мама? — спросил Лукас.

— Пошла спать, — отозвался Петер. — Устала.

— Значит, и нам пора? — вдруг спросил Лукас необыкновенно тихим голосом.

— Нет, еще нет, — сказала моя мама. Свет от пламени свечей смягчал черты ее лица, рыжие волосы мерцали, и мне казалось, что выглядит она сногсшибательно.

— Хотите, можете сегодня поспать на улице, — сказал Петер, указав на широкую садовую скамью. — Вы, мальчишки, точно там уляжетесь.

Лукас запрыгал от счастья и издал оглушительнейший клич индейца, на который ему так же громко ответили павлины. Мы с Даниэлем молча улыбались в темноте.

— А ты устроишься на раскладушке, — сказала моя мама. — Несите свои постели, надевайте пижамы. И не забудьте почистить зубы.

— Чтобы в доме тише мыши! — предупредил мальчишек Петер. — Маму не будить!

Когда я, почистив зубы, снова вышла на улицу с постельным бельем под мышкой, мама сидела одна.

— А где Петер?

— Не скажу! — захихикала мама.

По голосу ее было слышно, что она немного пьяна.

Мне это не понравилось, хотя я знала, что все взрослые иногда пьянеют. С другими все обстояло иначе — дядя Фриц в подвыпившем состоянии любил травить анекдоты, а дедушка передразнивал кур. Под конец застолья они вечно затягивали народные песни: «Нет края лучше в этот час» или «Взошла на небе уж луна». Пьяный дядя Фриц доставал бумажник и протягивал мне пятак.

— Тебе нельзя так много пить! — сказала я.

— Ах, голубушка моя, — улыбнулась мама. — Не будь всегда такой благоразумной. Выпила я не много. Не бойся!

Она встала и натянула наматрасник на раскладушку, взбила подушку.

— Сегодня ты будешь спать, как у Христа за пазухой! — засмеялась она.

— Еще чего! — тихо проговорила я, сжав покрепче неоновую палочку.

После того как пришли Даниэль и Лукас, со стороны рва донеслись удары вёсел по воде.

— Ну, наконец-то! — воскликнула мама.

— Что это вы затеяли? — поинтересовалась я.

— На лодке покатаемся!

Мы с Даниэлем переглянулись.

— Чур, я с вами! — вмешался Лукас.

— Ни за что! — ответила мама. — Кататься на лодке будут только взрослые.

Она взбила мальчишкам подушки и расправила одеяла.

— А если вы утонете? — не вытерпел Лукас.

— Позовем на помощь, и вы нас спасете! — засмеялась мама.

Факелы погасли. Мы лежали под одеялами, смотрели на звезды и слышали тихие всплески, когда Петер опускал весла в воду. Где-то у забора чихнул еж.

Всплески становились все тише, изредка ветерок доносил до нас отзвук маминого смеха. Петера слышно не было.

Даниэль сложил ладони и заухал как сова. Прозвучало удивительно похоже. Когда-то мы собирались сделать этот крик нашим тайным опознавательным сигналом. Я тренировалась несколько месяцев, но все время делала что-нибудь не так, и в итоге мы отказались от этой идеи.

— Девчонкам это не дано! — заявил тогда Даниэль.

— Где они? — спросил Лукас.

— С другой стороны замка, — отозвался Даниэль. — Разве не слышишь?

— Не-а.

— То-то и оно!

Я напряженно вслушивалась в ночную тишину. Но слышала только, как резвятся красноперки. Ни смеха, ни равномерных всплесков, ни голосов. Сквозь сон крякала утка, и где-то далеко-далеко в лесу на уханье Даниэля откликнулась наконец настоящая сова.

Прямо над нами стояла Большая Медведица.

Пусть я не умела кричать совой, но с созвездиями у меня было все в порядке. Потому что звезды светились и на потолке над моей кроватью. Прощальный подарок отца. Эти звезды он подарил мне за три дня до отъезда. Часами стоял на стремянке с толстым атласом в руках и в точности скопировал звездный узор северного полушария. Вечером мы лежали бок о бок в темноте, звезды светили нам с потолка, и отец рассказал мне о каждой.

— Вот смотри, это — Кассиопея, а это — Большая Медведица, а повыше, на самом верху, — Полярная звезда.

Еще он рассказал о созвездии Южного Креста, которое видно только в другом полушарии и которое настолько красиво, что дух захватывает.

— Когда ты вырастешь, моя маленькая жемчужинка, мы оба туда отправимся, только мы с тобой, и я покажу тебе самое красивое небо на свете, обещаю!

Прямо над нами стояла Большая Медведица, и, быть может, отец сейчас тоже смотрел в небо, видел ее и думал обо мне.

Лукас уснул, задышал ровно и глубоко.

— Ты уже спишь? — прошептала я.

Даниэль промолчал.

— Эй, старина, я же слышу, что ты еще не уснул!

Слышно было, как он сопит.

— Что случилось? Ты плачешь?

— Не плачу! — всхлипнул Даниэль. — Я никогда не плачу!

— Хочешь, залезай ко мне.

Было слышно, как откинулось одеяло, и вот он уже рядом. Лицо его было всё в слезах, он обнял меня и прижался ко мне, а я не знала, что сказать.

Мне так хотелось рассказать ему об отце и о Южном Кресте, и о Большой Медведице, и о Звезде вечерней, но у меня бы не получилось. Утешали нас всегда матери. Клеили пластыри на разбитые коленки, держали обожженные пальцы под холодной водой и отгоняли боль

разными заговорами. Я же была ребенком и могла лишь крепко обнять Даниэля.

И я не разнимала рук, пока он не перестал плакать.

Тут я отпустила его, и мы принялись смотреть на небо.

— Ты веришь, что там наверху — Бог? — спросил Даниэль.

— Не знаю. А ты веришь?

— Я молился, но молитвы не помогли. Мама уже не выздоровеет!

— Может, ты плохо молился?

— Лучше я не умею!

Я знала, что Даниэль говорит правду. Я тоже молилась, когда отец собирался от нас уходить.

— Всевышний Боже, — взывала я. — Всевышний Боже, сделай так, чтобы папа остался с нами!

Каждый вечер, изо дня в день.

— Всевышний Боже, пусть папа останется!

Но отец все-таки ушел.

Возможно, разговоры о Боге были сродни тем историям, что нам частенько рассказывали, — о Пасхальном зайце или о Деде Морозе. Историям, в которые веришь, пока не заметишь на Деде Морозе сапог дяди Хуберта и не увидишь, выглянув из окна пасхальным утром, как мама прячет шоколадные яйца.

Возможно, там наверху были лишь холод и бесконечность, а здесь внизу — только мы, стрекозы, утки, совы и летучие мыши.

— Я больше не верю в Бога, — признался Даниэль. — А верю только в Щучьего бога. В то, что смогу поймать его. Без всякой помощи. И если я его поймаю, мама поправится!

Я молчала. Да и что тут скажешь? От одной мысли, что Бога нет, я немела и замыкалась. А то, что эту мысль разделял Даниэль, ранило сильнее собственного сомнения. Но быть может, он прав, и нет никакого Бога, кроме Щучьего.

Мы лежали бок о бок с широко открытыми глазами и внимали ночной тиши. Спустя вечность снова послышались легкие всплески. Петер сказал что-то неразборчивое, и мама рассмеялась — редко случалось мне так радоваться ее смеху, как тогда.

— Пойду к себе, — сказал Даниэль и поднялся. — А то еще решат, что мы целовались!

— Ну ты и фантазер! — захихикала я в ответ.

— А ты — болтунья. Но только попробуй проболтаться кому-нибудь, что я плакал!

— Никому и ни за что!

— Клянешься?

— Клянусь!

Когда мама склонилась надо мной, я притворилась спящей. Поправив одеяло, она поцеловала меня в лоб, а потом, пока я старательно щурилась, точно так же подошла к Даниэлю и Лукасу.

В магазин для рыболовов мы отправились вместе. Даниэль, Лукас и я. Мама была за рулем. Подыскивая, где бы припарковаться, она потела, курила и громко ругалась.

— Это еще что за бестолочь! — негодовала она. — Наверное, в лотерею права выиграла! Только посмотрите на нее! Что она творит?

Мама хлопнула себя по лбу.

— Я всегда говорила: женщину к рулю даже подпускать нельзя!

Даниэль и Лукас хмыкнули.

— А ты сама разве не женщина? — спросила я.

— Женщина. Но я умею водить!

Молниеносно крутанув руль и заскрипев шинами, она задним ходом ринулась в узенькую щель. Водитель ехавшей за нами машины резко затормозил и выставил средний палец.

Мне стало стыдно, но Даниэль понимающе присвистнул:

— Отвали! — сказал он. — Такое только у папы получается!

Мама захохотала.

Мне не нравилось ездить с ней в одной машине. Вечно она честила всех почем зря. И бестолочью всегда оказывались другие.

И я хорошо помнила, как было раньше, как мы ездили в отпуск.

Отец сидел рядом с ней, закусив губу, и в салоне царила полнейшая тишина.

— Я тоже не лыком шита! — заявляла мама. — Дай я поведу!

Она повторяла это, пока отец не останавливался и не выскакивал из машины, хлопнув дверью. Она вела, а ему разрешала только заправляться.

А когда однажды в Дании он капнул бензином на сандалии, она как ошпаренная вылетела из-за руля и заголосила:

— Даже машину заправить не можешь!

Все обернулись и злорадно ухмылялись, а мне хотелось сквозь землю провалиться.

Мне было стыдно, Даниэль присвистывал, и вот мы добрались до магазина «Рай для рыболова. Ваш помощник в мире крючков и наживок».

Ну и запашок там стоял! Пахло железом, пылью и червяками. И все сверкало. Продавались блесны и маленькие металлические рыбки, которых вполне можно было спутать с нашими красноперками. Были там и мягкие неоновые червячки, и лески, и свинцовые шарики, и поплавки. Вот каким был этот рыболовный рай.

Мне сразу вспомнились подарочные мешочки, которые приносил мне толстый дядя Освальд с сигарой. Пестрая и блестящая мишура рыболовных снастей прекрасно подошла бы для таких мешочков, ведь я нередко находила разноцветных червячков и эластичных личинок, быстро скользивших по ниточке с одной стороны стола на другую среди липкого воздушного риса.

Даниэль и Лукас уже давно исчезли за высокими рядами полок. Время от времени они выныривали из-за них, и маме приходилось критически осматривать один сачок за другим.

На меня у нее никогда не хватало терпения. Она вечно меня подгоняла. Особенно в обувных.

— Ну, решила, наконец? Давай поторапливайся, черепашка. Я здесь не собираюсь ночевать.

И я выбирала темно-синие туфли, хотя мечтала о красных.

В рыболовном раю я бы сразу определилась, потому что для меня между сачками не было никакой разницы. Я нетерпеливо забарабанила пальцами по прилавку, а мама смерила меня сердитым взглядом.

Сачок был всего-навсего гигантским ситечком со съемной рукояткой, а садок — сеткой, натянутой поверх квадрата из пластмассовых стержней. От четырех углов отходили шнуры, скрепляемые наверху кольцом. До такого я бы и сама могла додуматься, тогда не пришлось бы три недели мучиться с пластмассовыми ведрами Гизелы.

«Сачок» и «садок» — эти слова вызывали у меня совсем иные ассоциации, мне представлялось нечто особенное, чего бы я сама никогда не придумала. В рыболовном раю я впервые поняла, что язык рыболовов — тайный язык, и мне придется овладеть им.

Садок мы, разумеется, тут же опробовали. Даниэль опустил его в воду и вытащил. И действительно — мы сразу поймали семь красноперок. Это было легче легкого, а я была рада, что рыбкам больше не надо глотать крючки. Даниэль выпустил их обратно в воду.

— Ты что наделал? — закричал Лукас. — Без приманки тебе не поймать щуки!

— А ее и ловить-то нельзя, — отозвался Даниэль.

— Почему?

— Потому что не сезон. Надо дождаться июля!

— Кто сказал?

— Граф!

— Не верю! — воспротивился Лукас. — Просто ты, наверно, струхнул!

Даниэль оставил его реплику без внимания. Спокойно сложил садок и отправился домой.

Я не знала, правду ли говорит Даниэль, но помню, что испытала облегчение, поскольку представляла себе, как он станет убивать щуку. И видеть мне этого не хотелось.

Рапсовое поле отцветало, а лето шло, и моя рыжеволосая мама курила, стоя у плиты и варила клубничное варенье.

— Как школа?

— Отлично!

Она стояла ко мне спиной. Одной рукой помешивала варенье, в другой держала сигарету. Я смотрела на нее и ждала, что пепел рано или поздно упадет в варенье, но этого не произошло.

— Там на столе тебе подарок! — не оборачиваясь, сказала она. — От Гизелы!

На столе лежала прямоугольная коробочка. Она была обернута в подарочную бумагу и обвязана красной ленточкой.

Я вертела ее в руках и пыталась угадать, что внутри. Похоже на книгу.

— Да открывай же! — заторопила меня мама. — Разве тебе не интересно узнать, что там?

Конечно, мне было интересно узнать, но еще интересней было строить догадки.

— Вылитый отец! — про-
комментировала мама.

— Зато ты слишком
любопытная!

— А вот хамить совсем не
обязательно!

Когда подарки получала
мама, она тут же срывала
все обертки и подарочную
бумагу. Так ей не терпелось
узнать, что подарили.

Мне это казалось ужас-
ным, особенно когда я тратила уйму времени, чтобы
красиво упаковать подарок.

Отец всегда долго держал подарок в руках. Ощупывал,
осторожно потряхивал, крутил туда-сюда и лишь потом
осторожно развязывал бантики и отсоединял скотч. Мама
вечно потешалась над ним и с нетерпением подгоняла
его. А мне нравилось, что он так осторожничает.

— Ну, рассказывай: что там? — спросила мама.

Облизав деревянную ложку, она встала рядом со мной.
Мне не хотелось, чтобы она первой увидела подарок.
Я медленно царапала скотч.

— Ах, уж и посмотреть нельзя! — вздохнула мама.

Я не обращала внимания. Осторожно развернула
обертку. И там действительно была книга. «Рыбалка
для начинающих» — прочла я.

— Покажи! — сказала мама и хотела взять у меня книжку, но тут убежало варенье, и она, ругаясь, бросилась к плите.

Я поспешила уйти к себе. Там я перевернула книгу и прочла рекламный текст на обратной стороне обложки «Все, что нужно знать новичку».

«Рыбалка для начинающих» — это компактный и компетентный путеводитель по «водной охоте», написанный знатоками для любителей. Книга дает новичкам всю необходимую информацию о рыбалке, и даже умудренные опытом рыболовы найдут в ней массу полезной информации о водоемах, рыбах, снастях, способах ловли и многом другом».

Раскрыв книгу, я обнаружила письмо:

Милая Анна, девочка моя!

Как бы мне хотелось стоять сейчас рядом с тобой и видеть твое лицо, когда ты перелистываешь страницы. Может, ты думаешь, что было бы лучше подарить эту книгу Даниэлю. Я ведь знаю, как ты относишься к рыбалке. И поверь, мне тоже больше нравятся живые рыбы в аквариуме. Но ты знаешь, что за народ эти мальчишки, их за уши не оттащишь от воды, потому что когда они ловят рыбу, то забывают обо всем на свете.

Мне не хотелось бы, чтоб вы из-за этого ссорились. Наоборот, мне хочется, чтобы и ты была с ними. Вы же всегда всё делали вместе. Ходили в детский сад, впервые пошли в школу. А помнишь, как вы построили дом на дереве? Вы втроем росли, как дети одной семьи, и мне хочется, чтобы так и было дальше. Сейчас, во время болезни, мне хотелось бы верить, что между вами нет никаких разногласий.

Милая Анна, я знаю, что прошу многого, но еще я знаю, что ты — чудесная девочка. Я всегда мечтала о такой дочке. Так что, девочка моя, прочти эту книгу и покажи мальчишкам, как надо рыбу ловить. И быть может, когда-нибудь тебе не меньше, чем Даниэлю и Лукасу, захочется поймать щуку!

Обнимаю тебя.
Твоя Гизела

Это было первое и последнее письмо, полученное мною от Гизелы.

И я пообещала ей всё. Возможно, потому что она называла меня «девочка моя», или просто в надежде, что она от этого выздоровеет, а может, и оттого, что Даниэль был прав и действительно существовал могущественный Щучий бог. Он творил чудеса, когда кто-нибудь освобождал его от вечной жизни.

Заслышав на лестнице мамины шаги, я спрятала письмо Гизелы под подушку. Молча протянула ей книгу. Мама полистала ее, покачивая головой.

— Не забудь поблагодарить за подарок! — сказала она.

Книжка стала моей тайной. Я не показала ее ни Даниэлю, ни Лукасу, а сама читала каждый вечер. И уже давно знала, что сезон запрета на ловлю щук уже закончен тридцатого апреля. Но я ничего не говорила, а Лукасу, к счастью, некого было спросить.

Когда по средам и пятницам Лукас уходил на футбольные тренировки, Даниэль один шел по двору с садком в руках. Я подсматривала за ним из окна.

Видела, как он то и дело опускал садок в воду и вытаскивал его. Видела, как он достает красноперку и пытается удержать ее в руках. Считала секунды. Их всегда проходило не меньше десяти, пока Даниэль с отвращением не отбрасывал рыбу. А еще я видела, как он потом висел на парапете моста и его рвало.

Даниэль вызывал у меня одновременно и жалость, и восхищение.

Отец однажды сказал мне:

— К тому, чего боишься, надо сначала присмотреться, а потом прикоснуться — и страха как не бывало. Запомни это, маленькая жемчужинка!

Это было в тот день, когда на меня бросилась огромная овчарка, и я без памяти бежала, не переставая кричать. Тогда отец взял меня на руки и сказал эти слова.

Но я так никогда и не осмелилась сначала присмотреться, а потом прикоснуться к овчарке.

В какой-то момент я сдалась, поняв, что этот страх будет сопровождать меня всю жизнь.

А Даниэль был не таким, он не сдавался. Он был уверен, что преодолеет себя.

Необходимость поблагодарить Гизелу за подарок камнем лежала у меня на душе. Мама каждый вечер спрашивала меня, и каждый вечер я говорила:

— Пока нет, но завтра обязательно.

Мама ругалась и называла меня неблагодарной.

— Я не прошу тебя радоваться руководству по рыбалке, но поблагодарить-то ты можешь! Это просто необходимо!

Необходимо, но мне было боязно.

Боязно встречаться с Гизелой. Боязно слушать, как она кашляет, боязно обнимать ее. Мне не хотелось идти в умолкший дом с опущенными жалюзи. Я боялась тамошнего запаха и тиканья часов. И еще у меня был отчетливый страх перед кислородным баллоном.

Когда Петер въехал во двор, мы с Даниэлем сидели на дереве. Мы оба видели, как он затащил в дом баллон.

— Зачем это вам? — спросила я, но Даниэль только пожал плечами.

Баллон с кислородом выглядел как баллоны с газом, из которых на ярмарке надували разноцветные шарики, столь стремительно вырывавшиеся у меня раньше из рук. Шарики все время улетали в небо, я ревела, а отец смеялся и говорил:

— Не плачь, ими сейчас ангелы играют.

С Даниэлем я это обсуждать не могла, а вот Лукас по пути в школу рассказал, что баллон предназначался для Гизелы.

— С ним маме будет легче дышать, и она выздоровеет!

Он засмеялся и взял меня за руку.

— Представляешь, у мамы точно такая же кислородная маска, как в самолетах! Точно такая же!

Он этим гордился.

Нет, не хотелось мне идти в этот дом, не хотелось видеть маску, Гизелу, и из-за этого меня мучили сильные угрызения совести.

Но я каждый день читала книгу о рыбалке и уже знала о щуках все.

«У спортсменов-рыболовов щука — излюбленная хищница. Такую симпатию она вызывает не в последнюю очередь своей изворотливостью. Но и ее мясо считается одним из главных рыбных деликатесов. Для щуки очень важен ареал обитания. Она предпочитает ровные прибрежные зоны со стоячей водой или медленно текущие воды с богатой растительностью. Далеко она не плавает, держится особняком».

Когда я это читала, мне в голову лезли странные мысли. Казалось, будто щука и Даниэль похожи между собой. Двое одиночек в окруженном водой за́мке, Даниэль и щука, и оба так жаждали добычи. Разве что один дышал над водой, а другая — под водой, но даже это сближало их, потому что оба задохнулись бы, оказавшись в чужой среде.

Я прочла, что рыбу надо сначала оглушить ударом по голове, а потом уже вонзать нож. Прочла, что если вырезать у щуки сердце, то оно будет продолжать биться еще двадцать минут. И я представляла себе впечатление от такого зрелища. Представляла, как держу в руке щучье сердце, которое продолжает биться.

Ночью, когда над замком собрались грозовые облака, мне приснился сон. У меня выросли жабры, а ноги превратились в хвостовой плавник. Я опустилась на дно рва. И там, внизу, где все тихо, черно и непроницаемо, я плавала следом за щукой — недвижно застывая, когда та караулила добычу, и вместе с ней стремглав кидаясь на красноперок с широко раскрытым ртом. Чувствовала я себя легко, ловко и непринужденно, и вода укрывала меня. Под растущими на глубине водорослями открывался вход в Щучье царство. И во сне я могла заплыть туда, разглядывала роскошные залы и покои, а когда поднимала глаза, сквозь прозрачные потолки виднелись облака и звезды. Щука кивнула мне, я увидела, как она застыла, когда мимо нее медленно проплыла красноперка. Тут я разглядела леску, но было уже поздно. В воде у меня не было голоса. Я не могла крикнуть, чтобы предупредить ее. Я видела ее борьбу, как она старалась порвать леску, крутилась и извивалась, все глубже насаживаясь на крючок.

Наконец меня разбудил удар грома. Я все кричала и кричала, пока не пришла мама, которая взяла меня на руки и укачала, как прежде.

Когда приближалась гроза, небо сначала желтело, потом темнело. В воздухе повисали тяжесть и духота. Ветер совершенно стихал, а наше дерево не шевелило ни одним листочком. Мы сидели на ветках и просто ждали. На каменном парапете моста еще стояло ведро с красноперками.

Вот уже неделю мы играли в «слабо́». Игру придумал Даниэль.

— Тот, кто дольше всех продержит в руках красноперку, тот и выиграл, — заявил он.

— Тогда лучше сдавайся сразу! — засмеялся Лукас. — Ты в этой игре точно не победишь!

— Посмотрим! — отозвался Даниэль.

Он вытащил из кармана штанов Гизелины часы с секундомером и протянул их мне.

— Засекай время!

Я обрадовалась, что буду судьей, поскольку от одной мысли о склизкой чешуе мне становилось плохо.

Даниэль показал мне, куда нажимать, чтобы останавливать время, потом забросил садок в воду и вытащил его.

Игра была дурацкой, потому что красноперки не выживали в ней.

— Елки зеленые! — в итоге воскликнул Лукас. — Елки зеленые! Мой тупоумный братец научился прикасаться к рыбе!

Даниэль хмыкнул и высморкался в воду.

Когда же небо пожелтело и потемнело, мы залезли на дерево. Я испугалась, потому что молния как раз и бьет по деревьям, но Даниэль лишь рассмеялся и посоветовал мне пойти домой и залезть под одеяло. Тем более он теперь неуязвим, ведь того, кто умеет держать красноперок, и молния не убьет.

При первом ударе грома мама раскрыла окно.

— Даниэль, — крикнула она, — скорее домой! И прихвати Лукаса с Анной!

Мне стало не по себе, потому что раньше так кричала Гизела. Мама же прокричала эти слова впервые, и я заметила, что Даниэля тоже передернуло.

Мы соскочили с дерева и припустили к дому под первыми каплями дождя.

Она стояла на пороге и ждала нас. Я сразу увидела, что она не в настроении.

— Совсем с ума сошли! — ругалась мама. — О чем вы вообще думали, залезли на дерево, когда вокруг молнии сверкают? Чему вас учат? Что мальчишки сорванцы, это известное дело! Но ты, — она зарычала, — от тебя я такого не ожидала! Ты же девочка, да еще к тому же старшая!

Бранясь, мама схватила меня за руку, и я чувствовала, как кончики ее пальцев с каждым словом сильнее впиваются в мою ладонь.

Я вырвалась и побежала вверх по лестнице. Хлопнула дверью и бросилась на кровать.

Почему она так несправедлива?

Почему я всегда виновата?

Почему она мне и слова доброго не скажет?

Я же ее единственный ребенок.

Когда я порывалась обнять ее, она, смеясь, отодвигала меня в сторону.

— Ты меня задушишь! Угомонись.

Но я не сдерживалась, особенно когда хотела показать, как люблю ее. И ждала ответа. Но получала его лишь изредка.

Мне так хотелось быть похожей на нее, но она то и дело говорила: «Вылитый отец!»

Может, поэтому она так ко мне относилась.

Я же сама слышала, как однажды она сказала Гизеле, что очень хотела мальчика. Его бы тогда звали Ян, но получилась всего-навсего Анна.

— И представь, — продолжала мама. — Представь, что теперь мне приходится снова сталкиваться с тем, что было у меня в детстве… капризы… упрямство…

Анна   Ян

вранье… и всё-всё-всё… ах, как бы мне хотелось, чтобы она была мальчиком!

Не помню уже, что отвечала Гизела, но помню, как горько было слышать эти слова. С тех пор я поняла, что никогда не смогу угодить маме. Я же была всего-навсего девочкой. Хотя умела все, что умели мальчишки. Но для мамы это не имело значения. А теперь, когда Гизела заболела, у нее вдруг появилось двое мальчиков. И все.

Я лежала на кровати, рыдала в подушку и слышала, как внизу на кухне смеется мама. А вместе с ней смеялись Лукас и Даниэль.

Кто-то положил руку мне на плечо, и я вздрогнула.

— Слезами делу не поможешь! — сказал Даниэль.

— Почему ты всегда так тихо ходишь?

— Потому что я не слон!

— Оставь меня в покое!

— И не подумаю!

Он присел на край кровати.

— Чего ревешь?

— Ничего… тебя это вообще не касается!

— Касается! Говори!

— Потому что… я всегда виновата! Потому что не могу угодить ей! Потому что она вечно придирается! Потому что с вами ей гораздо лучше… с тобой и Лукасом! И потому что я так больше не могу!

Он погладил меня по спине, не говоря ни слова, потом вытащил из штанов разломанную пластинку жвачки и положил ее у моей головы.

— Дарю! Со вкусом корицы. Из Америки!

Я приподнялась и взглянула на него.

— Правда, что ли?

— Правда.

Он несмело улыбнулся, и я поняла, что он стесняется.

— Ну, что скажешь? — спросила я. — О моей маме?

Он пожал плечами.

— Дело житейское! У нас точно так же. На меня тоже всегда всё валят, а на Лукаса — никогда. Наверно, это нормально.

— Может, нас подменили в роддоме? И мы теперь живем в чужой семье? У тебя не бывает такого чувства?

Даниэль покраснел и кивнул.

— Может быть, — сказал он. — Может, моя настоящая мама живет совсем в другом месте… может, она здорова и каждый день бегает через двор в контору. Через другой двор, в другом замке…

Под окном нашей кухни росли подсолнухи.

Я не видела Гизелу с того вечера, когда мы жарили мясо на гриле. Она просто исчезла из виду. Так же, как рапсовая желтизна и ярко-красный маковый цвет. Как исчезнут маленькие цветки ромашек и буддлеи.

Ничто вокруг не оставалось таким, каким оно нам нравилось. Даже вода поменяла окраску. Теперь она стала по-летнему зеленой и матовой. Воздух плавился от жары.

Мама развесила у окна влажные простыни. Но это случилось лишь вечером, когда она вернулась от Гизелы, усталая и печальная. Первым делом она заглянула в холодильник, достала бутылку водки, налила стопку и залпом выпила ее.

Я стояла на пороге кухни и наблюдала за ней. Видела, как она откинула со лба рыжие волосы, как ее передернуло от выпитой водки.

— Как дела у Гизелы? — спросила я, потому что надо было что-то сказать.

— Лучше не спрашивай! — ответила она.

— Пожалуйста, расскажи.

И она рассказала. О том, как Гизела дышит, о кислородной маске и громком шипении, сопровождавшем каждый вдох. Рассказала, что большую часть времени Гизела спит или лежит с закрытыми глазами, потому что ей тяжело дышать. Рассказала, что они говорили о прошлом — о том времени, когда сначала появилась я, а потом Даниэль. И какая тогда стояла зима. Первая зима для меня и Даниэля.

— Нам хотелось сфотографировать вас, и мы просто поставили вас в снег. Его было так много, что вы не могли ни упасть, ни тем более убежать.

Мама засмеялась.

— А после обеда мы посадили вас в ходунки — это якобы было полезно для мышц позвоночника. И ты сиднем просидела в них из-за жуткого страха, ни разу не шевельнулась. Зато Даниэль тут же освоился, начал махать руками и перевернул ходунки. Просто перевернул! Видела бы ты Гизелу! Она написала производителю такое гневное письмо. Насчет проведенных ими испытаний. Дескать, ребенок в этих ходунках может убиться. И тогда ей в качестве извинения прислали качели. Самые дорогие качели! И совершенно бесплатно.

Смех мамы становился более радостным, и я стала смеяться вместе с ней. Смеялась и не спрашивала того, что хотела спросить. Не задала вопрос, который не оставлял меня, вопрос, повисший над этим летом черной грозовой тучей.

— Мама — не спросила я. — Мама, а Гизела поправится?

Нет, этого я не спрашивала.

Зато пока она рассказывала, вместо грустной мамы у меня появилась веселая, и подсолнухи, росшие под кухонным окном, заронили мне в душу какую-то надежду.

Наутро простыни на окне стали сухими и жесткими.

Дикие уточки громко крякали всю ночь. А я лежала с открытыми глазами и пыталась понять, о чем они крякают. Похоже было чаще всего на ссору, словно одна говорила другой:

— А я еще лучше могу!

Но иногда слышались и нежно-сонливые нотки. Мысленно я делила уток на мальчиков и девочек. Горластые были мальчишками. И девочки говорили им:

— Нельзя ли потише? Мы устали.

Отец часто рассказывал мне разные истории. На ночь, перед сном. Историю об утенке по имени Узкое Горлышко, который заблудился, сидит в камышах и жалобно зовет свою мать.

— Слышишь? Вот опять кричит.

Я вслушивалась в темную ночь и различала одинокий протяжный клич.

Или он рассказывал о Великой Белой Лягушке, которая по ночам приходит к лягушатам на пруд.

— С ее появлением, маленькая жемчужинка, лягушата начинают петь на разные голоса. Они воздают ей честь. Слышишь? Вот как они поют. Сейчас Великая Белая Лягушка стоит на берегу пруда, а они приветствуют ее!

Я слушала, и действительно — лягушки пели какие-то свои лягушачьи славословия.

Но больше всего мне нравилась история про верхоглядов, которые повторяют всё и за всеми — кто бы что ни сделал.

— Петь они не умеют. Но если кто-нибудь из них затянет песню, остальные сразу подхватывают. Слышишь, вот и они.

Я снова напрягала слух, и правда — из деревни доносились лихие напевы с состязания метких стрелков.

Отцу наверняка понравилась бы моя история про уточек.

Даниэль и Лукас бывали у нас почти каждый день.

И мама делала то, чего не делала никогда. В самый обыкновенный вторник она стояла на кухне и замешивала тесто для вафель. Обычно она пекла их на Рождество или в мой день рожденья. Лишь тогда мы ели вафли с горячим вишневым соусом и взбитыми сливками.

«Кто не жалеет красоты, закончит точно у плиты!» — утверждала открытка, пришпиленная к доске для записок.

— Только не начинай опять! — предупредила мама, когда я спросила, зачем она это делает. — Мне это ничего не стоит, а Даниэль и Лукас обрадуются. Вообще-то и ты могла бы выглядеть повеселей!

Когда мы возвращались из школы, на дворе пахло обедом. Пахло лазаньей, или рыбными палочками, или панированными шницелями с горохом и морковью. Это тоже было в новинку, потому что раньше мама готовила только вечером.

— Потому что так удобней, — объясняла она. — Так можно лучше планировать день, а бутерброд ты себе всегда намажешь!

Раньше изобилие царило у нас в холодильнике, только если мама сидела на диете. Лишь тогда она регулярно готовила днем и оставляла мне свой кусочек масла.

Но теперь за нашим столом сидели Даниэль и Лукас, и о прежних днях можно было забыть.

Мама варила и пекла так, словно это было самое важное занятие на свете, она даже разрешила нам полакомиться остатками теста. Не успели мы проглотить их, как она спросила, нравятся ли они нам, и когда Даниэль с набитым ртом сказал: «Вкуснотища!» — она так и просияла.

На самом деле мне всегда хотелось, чтобы у меня была такая мама. У которой фартук пахнет ванилью. Которая варила бы шоколадный пудинг, если у меня что-то не ладится. А после неудачной контрольной по английскому, кладя на тарелку сардельку и цветную капусту под голландским соусом, приговаривала бы: «Покушай — авось полегчает!»

Вот такую маму мне всегда хотелось, и теперь она стояла на нашей кухне, а я не знала, радоваться мне или нет.

Все менялось, а мне хотелось только одного: чтобы все оставалось таким, как раньше.

Думаю, и Даниэль мечтал о том же.

Утром, когда мы садились в школьный автобус, деревенские дети склонялись друг к дружке головами и перешептывались.

А за три дня до больших каникул младший брат Клауса Штельтера внезапно показал пальцем на Даниэля и во весь голос заявил:

— Моя мама сказала, что его мама скоро помрет!

Даниэль вскочил, протиснулся мимо меня и бросился на младшего Штельтера. Я пыталась остановить его:

— Прекрати! Он же гораздо меньше тебя!

Но Даниэль не слушал. Он сжимал шею обидчика борцовским захватом и хрипел:

— Давай! Повтори еще раз!

И младший брат Клауса Штельтера разревелся и, заикаясь, пролепетал:

— Беру свои слова обратно! Это неправда! Я просто пошутил! Беру все слова обратно!

Смешки и перешептыванья смолкли. В автобусе воцарилась пугающая тишина.

Мы все затаили дыхание и смотрели на раскрасневшегося и взбешенного Даниэля, не выпускавшего младшего Штельтера. Даже водитель автобуса не шевелился. Все застыли.

— Милостивый Боже! — молилась я. — Милостивый Боже, пусть Даниэль отпустит его!

Но Даниэль сжимал все сильнее, а маленький Штельтер кашлял и глотал ртом воздух, как брошенная на берег красноперка.

Первой из оцепенения вышла Анна-София Шульце-Веттеринг. Она толкнула меня в бок.

— Он ему сейчас шею сломает. Ты же дружишь с ним. Скажи ему, чтоб отпустил!

Я взглянула на ее лицо. У нее были голубые глаза и веснушки. Отчего-то мне сразу вспомнилась мертвая кошка, и я подумала, что у всех майских котят голубые глаза и, конечно же, семь жизней.

Как я мечтала о том, что она заговорит со мной. Как я мечтала записать Анну-Софию в свои подруги. А она заговорила со мной именно сейчас, когда мне хотелось сквозь землю провалиться из-за Даниэля.

Она дернула меня и сказала:

— Давай же! Скажи что-нибудь! Только ты можешь что-то сделать.

Водитель поднялся и тяжелыми шагами приближался к нам по проходу.

Я и не знала, что мне сказать, и знала.

— Даниэль! — закричала я. — Даниэль, вспомни о щуке!

Он посмотрел на меня так, словно возвращался из дальнего далёка — оттуда, где прежде никто из нас не бывал. Смотрел на меня, словно не узнавая.

— Прошу тебя, Даниэль! — сказала я.

И он отпустил.

Младший брат Клауса Штельтера откинулся назад, из носа у него потекли сопли, и он по-прежнему хватал ртом воздух. Потом принялся массировать себе спину.

— Вы что себе позволяете? В моем автобусе никаких драк! А ну, хулиганы, живо по местам! — разозлился водитель. — И впредь ведите себя прилично!

Такими же тяжелыми шагами он удалился к своему креслу.

Анна-София Шульце-Веттеринг ехидно улыбнулась и подмигнула мне, как будто у нас с ней была общая тайна.

— Если хочешь, заходи как-нибудь!

Еще месяц назад я была бы на седьмом небе от счастья, услышав такое приглашение. С дрожью в коленках и учащенным сердцебиением, я пролепетала бы «да» и добавила «с большим удовольствием». Но сегодня мне показалось, что я предам Даниэля, если пойду в гости к Анне-Софии. Наверно, потому что она так подмигнула мне.

Даниэль сидел рядом с опущенной головой и смотрел в одну точку. Он был бледный как полотно, и мне очень хотелось взять его за руку, но я не отваживалась, потому что между нами выросла невидимая стена.

Я смотрела в окно. Мимо проносились пашни, дворы и живые изгороди.

Остальные снова принялись болтать, но мотор ревел так громко, что ничего нельзя было разобрать. Да и не хотелось, потому что я и так знала, о чем они говорят. Подъехав к школе, мы дождались, пока все выйдут. Я слышала, как прозвенел звонок на урок.

— Поторапливайтесь! — сказал водитель. — Или вы опоздать хотите?

Даниэль медленно плелся за мной. Вдруг он остановился перед школьными воротами.

— Делай что хочешь, а я дальше не пойду!

— Перестань! От этого только хуже будет!

— Ну и пусть… ты иди, иди!

Даниэль сел на стену, отделявшую школьный двор от школьного сада. Я смотрела на него и знала, что он не шутит. И еще знала, что не могу оставить его здесь ни за что на свете.

— Да ладно, пошли, — сказала я и потащила его со стены. — Тут нам лучше не задерживаться. На нас все смотрят.

Он поддался, и я увела его под густую сень плакучего бука, росшего в школьном саду. Раньше мы прятались под ним на большой перемене, когда собирались поцапаться с деревенскими.

— Не надо ни с кем ссориться! — учила нас Гизела. — А если они вас раздражают, не обращайте на них внимания.

Плакучий бук оставался тайным местом наших встреч, до тех пор пока мы в нем нуждались.

И теперь мы снова сидели, как прежде, прильнувши спинами к его гладкому стволу.

Листва опускалась до земли, и свет был таким же, как раньше, — зеленым, рассеянным и привычным.

Слышно было, как порхают стрижи, а из кабинета музыки доносились отголоски песни: «Только летом цветет маков цвет, и красивей цветения нет». Тут вдруг Даниэль сказал:

— А может, Штельтер и прав. Может, все об этом знают — все, кроме нас!

Я вздрогнула.

— У мамы рак, — сказал Даниэль.

— Когда ты об этом узнал?

— Давно, я же не слепой.

Он взглянул на меня.

— И не притворяйся, ты уже давно знаешь.

Я сглотнула и кивнула.

— Но твоя мама еще может поправиться! — сказала я. — Моя мама сказала, что много людей излечиваются от рака.

— Ты знаешь хоть одного? — спросил Даниэль.

Я покачала головой.

— Я не хочу, чтобы мама умирала! — Даниэль вскочил и внезапно закричал во весь голос: — НЕ ХОЧУ! НЕ ХОЧУ! НЕ ХОЧУ!

И с каждым «НЕ ХОЧУ» бился лбом о ствол дерева, потом отвернулся от меня и заплакал.

Бывают такие мгновенья, которые запоминаются на всю жизнь. Даже если хочешь их забыть. И когда Даниэль бился головой о ствол, я знала, что никогда не забуду этого.

Мне хотелось обнять Даниэля, но я не могла.

Хотелось сказать что-нибудь, но я не могла.

Хотелось убежать, но я не могла.

Я не могла даже плакать.

Первым заговорил Даниэль. Он по-прежнему стоял ко мне спиной.

— Помнишь тот вечер, когда мы делали гриль?

— Да.

— Помнишь, как мы разговаривали о Боге?

— А что?

— А то, что я думал об этом!

— И?..

— Если Бога нет, то Ему все равно, верим мы в Него или нет. И поэтому Ему незачем злиться и наказывать нас, если мы не верим в Него. Но и помочь нам Он тоже не может, если Его нет.

— Ты хочешь сказать, что мы зря молимся?

— Да, совершенно зря, молитвы не помогают!

Мне показалось, что земля уходит у меня из-под ног. Если Даниэль прав, то все, во что я до сих пор верила, вранье. Все, что рассказывала мама, и все бабушкины истории. Если то, что говорит Даниэль, правда, то нет на свете ни ангелов-хранителей, ни чудес. Конечно, я тоже иногда сомневалась в Боге, но тогда я чувствовала себя такой потерянной, что сразу старалась думать о чем-то другом.

Таких мыслей, как у Даниэля, у меня не было никогда. И я противилась им, потому что они несли с собой перемены.

— А как же ангелы-хранители и чудеса? — спросила я. — Во что-то же надо верить. Иначе жить станет невыносимо.

Даниэль рассмеялся. Каким-то неестественным смехом, больше похожим на всхлипывания.

— О чудесах лучше и не вспоминай, и об ангелах-хранителях тоже! Это все сказки для детей! Но кое во что я верю. Я верю в щуку! Верю, что когда я поймаю ее, мама выздоровеет.

Он повернулся ко мне лицом, и я онемела. Весь лоб у него был в крови. Ему наверняка было больно, но он и виду не подал.

Я достала платок из кармана брюк и хотела вытереть кровь.

— Только не вздумай смочить его слюной! — предостерег меня Даниэль. — И не вздумай проболтаться кому-нибудь о том, что было! Я просто упал, понятно? Упал и ударился лбом.

Все это случилось двадцать девятого июня.

Потом говорили, что день был самым жарким июньским днем за всю историю. Перед самым автомобильным мостом нас догнал Лукас.

— Что это с тобой? — спросил он, указывая на лоб Даниэля.

Даниэль промолчал.

— Упал, — отозвалась я.

Лукас покачал головой.

У дверей их дома стояла машина. Черная машина, на лобовом стекле которой Лукас, подойдя ближе, разглядел медицинский крест.

— Что-то случилось! — воскликнул Даниэль и побежал.

Только он хотел открыть дверь, как из нее вышла моя мама. Она встала на дороге у Даниэля и Лукаса.

— Но я хочу к маме! — с дрожью в голосе проговорил Лукас. — Мне надо показать ей, как я решил примеры!

Мама нежно, но уверенно свела мальчиков вниз по крыльцу.

— Сейчас не получится. Пойдемте пока к нам.

Даниэль опустил голову, а во мне зародился страх.

Бросив портфели в прихожей, мы пошли за мамой на кухню. Она достала из шкафа три глубокие тарелки и разлила овощной суп. Поставила тарелки на стол.

— Садитесь! — сказала она.

У меня еще сильнее забилось сердце, потому что она даже не спросила: «Как школа?» Не спросила, что у Даниэля со лбом. Хотя должна была бы.

Даниэль и Лукас сели напротив меня во главе стола. Мама опустилась на стул рядом со мной. Мы взяли ложки в руки, но не ели. Ждали, пока она что-нибудь скажет.

«Мамочка, пожалуйста, ну скажи что-нибудь!» — думала я, и, словно услышав меня, мама сделала глубокий вдох, взглянула на Даниэля и Лукаса, откашлялась и начала говорить.

Я хорошо помню, что в супе плавали зеленые горошинки и желтые кусочки картошки. И что за окном громко ворковали голуби.

Помню полуденный крик павлина и как по деревянному мосту, тарахтя, прокатил трактор. А потом я вижу, как Даниэль и Лукас падают лицами в тарелки. Одновременно, просто падают. Потом поднимают головы, и зеленая горошинка медленно скатывается у Даниэля по щеке, как маленькая зеленая слезинка. Все это я помню.

Но я не помню, как мама сказала это.

Как она сказала, что Гизела умирает.

Как она сказала, что надежд больше нет.

Как она сказала, что сожалеет об этом.

Помню только, как она уже говорила, что Гизела сейчас спит и ее нельзя беспокоить, что скоро придет Петер, а пока у нее дежурит врач.

А потом мама сказала обоим:

— Идите умойтесь!

Убрала со стола тарелки и вылила суп обратно в кастрюлю, хотя Даниэль с Лукасом и окунулись в него лицами. И я помню, как дрожали ее руки.

После этого мы все вместе поехали в кафе-мороженое, и она купила нам самое большое мороженое в мире, о чем говорила нам всю дорогу, словно собираясь с духом.

— Сейчас мы купим самое большое в мире мороженое! Купим самое большое! Сто процентов!

И попыталась засмеяться.

В этот день Лукас и Даниэль не ловили красноперок. В этот день мама опустила жалюзи и перекрыла лето.

Курила одну сигарету за другой.

А мы лежали перед телевизором, ложками ели мороженое из большой салатной миски и смотрели фильм по какой-то сказке. Во время рекламы Даниэль внезапно громко и фальшиво подпел: «Мы строим вашим планам новый дом». Лукас засмеялся.

В этот день мне очень хотелось забраться к маме на колени. Но как только я подходила к ней, она отворачивалась, подтягивала колени к подбородку и раскуривала новую сигарету.

Когда машина Петера въехала на двор, мама с Даниэлем и Лукасом отправились к Гизеле.

— Наверное я приду поздно, — сказала она. — Проголодаешься, сделай бутерброд. И не дожидайся меня, ложись спать!

Говоря это, она погладила меня по голове, но походя — как обычно гладят собаку.

Стоя у окна, я смотрела, как они втроем идут по двору. Мама шла посередине, ее рыжие волосы светились в закатном солнце. Справа шел Даниэль, слева — Лукас. Мама положила им руки на плечи — так, как это делают настоящие матери. Тут мне внезапно вспомнилась сказка, которую отец однажды читал вслух перед сном: «Взял братец сестрицу за руку и говорит: «Собачонке и то под столом лучше живется. Боже мой, если б узнала о том наша мать!»[1]

Думаю, никогда я так не тосковала по отцу, как в тот вечер. Мне не хватало его басистого голоса, его мягкого живота. Не хватало запаха после бритья и не хватало его историй.

Не хватало даже его дурацкой присказки, которой я вечно стыдилась: «Хорошо в краю родном, пахнет сеном и говном!»

---

[1] Сказка братьев Гримм «Братец и сестрица» цитируется в переводе Г. Петникова.

Каждый раз, когда он повторял эти слова, мама глубоко вздыхала и качала головой, давая понять, насколько они неуместны.

— И, пожалуйста, Пауль, не при ребенке!

Но папа только смеялся и снова повторял их.

Я лежала в кровати и твердила эту присказку: «Хорошо в краю родном…»

И мне стало легче. После пятого раза я даже рассмеялась и внезапно почувствовала, будто папа снова оказался рядом со мной.

Когда на следующее утро мы шли к школьному автобусу, все было почти как всегда. Лукас пинал банку из-под кока-колы, а Даниэль клевал носом. Вставало солнце, и над отцветшим рапсовым полем ширился свет. По радио, пока я ела насыпанные мамой кукурузные хлопья, снова обещали жару.

— Поторапливайся! — подгоняла меня мама. — Вам пора выходить!

Я видела ее опухшие глаза, но ни о чем не спрашивала. Все было лишь почти как всегда, еще потому, что, когда мы перешли через деревянный мост, Даниэль вдруг запел: «Мы строим вашим планам новый дом!» Такого с ним раньше не бывало. Я спросила, что это с ним, а он смущенно усмехнулся: «Так, привязалось!»

Мы молча продолжали идти. Когда мы дошли до домика Хайткампов, Даниэль сказал:

— Я туда не пойду!

— Куда?

— В мамину комнату. Не пойду.

— Я тоже! — согласился Лукас и побежал за пустой банкой. — Я тоже не пойду! Твоя мама хочет, чтобы мы туда входили и желали маме спокойной ночи, но мы не будем этого делать, а заставить она нас не может, она же не наша мама!

— А что говорит Петер? — спросила я.

— Папа сказал, что твоей маме лучше не вмешиваться! — закричал Лукас.

Он далеко пнул банку и снова побежал за ней.

Даниэль ничего не говорил, но я видела, что он шел со сжатыми кулаками.

Мне казалось, что мама не заслужила таких слов от Петера. В конце концов, она же все это время заботилась о мальчишках. Делала с Лукасом домашние задания. Возила Даниэля в соседнюю деревню к репетитору. А самого Петера почти не было видно. Домой он возвращался лишь поздно вечером.

— Такой же, как твой отец: вечно в конторе прячется, — сказала мама. — А когда нужна его помощь, берет дополнительные часы!

А еще мне не понравилось, что Даниэль и Лукас даже не хотят пожелать своей матери спокойной ночи. Мне было жалко Гизелу. Может, из-за этого мама и плакала.

Но днем мама уже опять смеялась.

— Как школа?

— Отлично!

Она откинула макароны на дуршлаг и помешала томатный соус. Потом вытерла пальцы о новый фартук, сказав Даниэлю и Лукасу:

— Мы с вашим папой кое-что придумали. Кое-что для вашей мамы. Вы же знаете, что ее кровать стоит под окном, и мама неделями вынуждена смотреть на платяной шкаф. Она ни разу не жаловалась, но это, должно быть, очень скучно — всё время смотреть на шкаф. Поэтому мы повесили на него большое зеркало. Было непросто найти нужный угол, но нам это удалось! Теперь маме из постели виден весь двор! Вы даже представить себе не можете, как она обрадовалась. Она рассмеялась и сказала:

— Наконец-то я увижу, чем занимаются мои мальчики! Пусть не думают, будто я ничего не знаю, лишь потому что вечно валяюсь в постели!

На короткое время в кухне воцарилась полнейшая тишина. Я видела, как Даниэль закусил губу. Я тоже так всегда делала, чтобы не расплакаться.

Лукас задумался, а потом медленно произнес:

— Ну... если маме будет видно нас на дворе... значит, на дворе должно быть такое место... откуда нам через зеркало будет видно маму!

Он ткнул Даниэля локтем в бок.

— Чувак, нам надо это попробовать!

Он потащил Даниэля за собой, выбежал из кухни, и оба затопотали по крыльцу.

— А как же обед? — крикнула мама.

Но ответа не получила.

Мама улыбнулась, обняла меня, и мы принялись смотреть в окно — наблюдать за тем, как Лукас и Даниэль носятся по двору.

Внезапно оба остановились. Лукас скакал вверх-вниз и отчаянно махал руками, а Даниэль корчил рожи.

Показал длинный нос. Высунул язык, приставил к голове рожки и заревел как бык.

— Ладно, голубушка, давай поедим, — сказала мама. — А не то и наши макароны остынут.

Как бы мне хотелось остановить время в то мгновенье.

Когда мы с мамой одни сидели за столом. И слышали, как Лукас заголосил на улице:

— Она помахала нам в ответ! Вы видели? Мама помахала нам в ответ!

А Даниэль издал клич индейца — такой же, как прежде.

Тут я охотно остановила бы время. Пока мама сажает капельки томатного соуса на кончик носа — себе и мне, и мы обе не можем удержаться от смеха, задыхаемся, закашливаемся и плачем.

Если 6 можно было остановить время в тот миг, щука осталась бы живой, и Гизела — тоже, я не влепила бы рожок с клубничным мороженым в физиономию Анны-Софии Шульце-Веттеринг, и лето не кончилось бы никогда.

Я с радостью остановила бы время, но это не под силу никому. Время продолжает идти, наступает вечер, приходит утро, собирается гроза, встает солнце. Такова природа времени. А потом, одним прекрасным утром, вся земля устилается коричневыми блестящими каштанами, а потом наступает зима — вот и все.

Анна-София Шульце-Веттеринг поджидала меня у ворот школы. Она не отпускала меня ни на шаг и вела себя так, словно мы с давних пор были неразлучными подругами. То было в предпоследний учебный день.

Анна-София Шульце-Веттеринг с голубыми кошачьими глазами и веснушками пахла лугом и молоком.

— Я сегодня днем пойду в кафе-мороженое. Хочешь составить мне компанию?

Мне вспомнилось самое большое в мире мороженое, и аппетит пропал, но все же я сказала:

— Ладно, а когда?

— Как насчет трех?

— Отлично, — ответила я. — Буду!

— Потом можем ко мне заглянуть, — добавила Анна-София. — У нас же опять новые котята. Они такие милые! Тебе непременно надо на них взглянуть. Так что до встречи — в три часа в кафе!

В своем желтом летнем платье она походила на бабочку-лимонницу, и прежде чем я успела сказать что-то в ответ, она оставила меня и упорхнула на школьный двор, к Марии-Терезе Шульце-Хорн и Хубертусу Шульце-Эшенбаху.

Я видела, как все трое приникли друг к другу головами и хором расхохотались, и мне так захотелось быть вместе с ними.

— Чего ей надо? — спросил Даниэль.

— Это наше девичье! — ответила я и помчалась к зданию школы.

— Только ненадолго! — крикнула мама, когда я сбегала вниз по крыльцу. — Особенно там не задерживайся! Понятно?

— Да, мам!

Я закрыла входную дверь и перевела дыхание, потому что мама не вышла из кухни, а я надела ее самую любимую желтую футболку, которую она ни за что не дала бы мне поносить. Но сегодня мне надо было надеть ее, потому что хотелось выглядеть не хуже Анны-Софии.

Даниэль и Лукас склонились над парапетом, рядом с ними стояло ведро с красноперками.

— Вот она! — взволнованно воскликнул Лукас и показал в толщу зеленой воды. — Вот! Вот она плывет! Ничего себе рыбища! Давай, Даниэль, мы ее поймаем!

Но Даниэль покачал головой.

— Не сегодня. Завтра. Завтра кончится сезон запрета.

— Можно подумать, есть какая-то разница! — ворчал Лукас. — Днем раньше, днем позже. Щука-то вовсе не заметит. Признайся лучше, что ты струсил.

— Завтра! — отчеканил Даниэль. — И ни днем раньше!

Я села на велосипед.

— Куда это ты? — поинтересовался Лукас.

Ничего не отвечая, я стала крутить педали.

«Подальше отсюда, — думала я, — подальше!» И мне казалось, что за дворцовым парком простирается другая страна — страна, где нет ни щук, ни слез, ни кислородных баллонов. И я стремилась туда — туда, где заливисто смеялись и весело хихикали, где гладили котят и болтали о детях. Я ехала туда с надеждой там прижиться.

Анна-София в своем платье лимонницы уже стояла у кафе и нетерпеливо ждала.

— Ну наконец-то, — сказала она и захихикала. — Я буду шоколадно-ореховое, а ты?

— Клубнично-ванильное!

— Пронто, синьорины! — улыбнулся итальянский официант. — Чоколато-ноччола э фрагола-ванилья!

Он вечно повторял заказы на итальянском. Нас с Даниэлем это всегда волновало, потому что к нам в деревню врывалась часть большого, необъятного мира. Но Анна-София закатила глаза:

— Проклятый макаронник! — прошипела она мне. — Он уже сто лет тут ошивается, а двух слов по-немецки связать не может.

Мне хотелось защитить мороженщика, но я не решалась, а Анна-София уже потащила меня к угловому столику и плюхнулась рядом со мной на мягкую скамейку, обитую зеленой кожей.

— Зато макаронники умеют делать вкусное мороженое! — сказала она.

Я кивнула.

Она пододвинулась ближе.

— Скажи, а что там с матерью Даниэля?

— А что? При чем тут?

— Да ладно, ты же знаешь! Все знают!

Я отодвинулась от нее.

— Ты поэтому меня пригласила?

— Не выпендривайся, — ответила Анна-София. — Мне просто интересно, правда ли это?

— Что?

— Что когда мама Даниэля умрет, его отец женится на твоей матери.

— Шутишь?

— Но все только об этом и говорят.

Я вскочила на ноги.

— Мало ли что болтают!

Анна-София силой усадила меня обратно.

— Да успокойся! Неужели ты ничего не знала?

Я покачала головой.

— М-да, вот так всегда и бывает. Те, кого новости касаются, всегда узнают о них последними!

Анна-София улыбнулась. Так улыбались учителя, услышав совершенно неправильный ответ. Это обезоружило и взбесило меня.

— А зачем всем болтать об этом?

— Потому что твоя мать подолгу задерживается у отца Даниэля. До поздней ночи! Вот люди и говорят.

— Но она же с Гизелой! А отец Даниэля дома-то почти не бывает!

Анна-София изогнула дугой брови.

— Но почему тогда Гизелу не отправят в больницу? Так было бы гораздо удобней. У нее было бы все, что ей нужно. Моя мама говорит, что это очень эгоистично, когда людей так используют. И в конце концов, Даниэлю и Лукасу вовсе ни к чему видеть все это безобразие, говорит мама. Для этого ведь и строят больницы!

Я постепенно закипала. Конечно, и мне приходили в голову подобные мысли, но в больнице у Гизелы точно не было бы зеркала на шкафу, и, если бы у меня самой был выбор между больницей и домом, я бы предпочла свою собственную постель.

Анна-София захихикала.

— А правда, что мать Даниэля теперь носит подгузники — прямо как младенец? Моя мама говорит, что ей меняют их как минимум трижды в сутки. Ну и воняет там, наверно! Если б я была твоей мамой, меня бы точно вырвало!

Она поморщилась.

Вот в эту минуту во мне что-то и оборвалось. В голове заклинило, как заклинивает колеса при резком торможении, в ушах молотом застучало сердце, и обострилось зрение. Я увидела, как светится лимонное платье Анны-Софии, как она гнусно ухмыляется всеми своими дурацкими веснушками.

И моя рука, сжимавшая рожок с мороженым, сама потянулась вверх, перехватила рожок и влепила его, как перевернутый нож, промеж кошачьих глаз Анны-Софии Шульце-Веттеринг. Послышался хруст вафель и крик Анны-Софии, подтаявшая клубнично-ванильная жижа потекла по веснушчатому носу и закапала на лимонное платье.

— Ты мне за это ответишь, дрянь поганая! — завопила Анна-София. — Ты мне ответишь!

Ее голос зашелся от негодования.

— Мадонна миа! — воскликнул итальянский мороженщик.

Но я уже сидела на велосипеде и с такой скоростью крутила педали, будто за мной гнался сам черт.

Однако черт оказался-таки не позади, а впереди меня. Вырос передо мной из-под земли. Сжав тормоза, я чуть не перелетела через руль.

Черт явился в облике управляющего. В тяжелых охотничьих сапогах и зеленых гамашах, уперев руки в боки, он впился в меня акульим взглядом. Лицо его налилось кровью, жилы на лбу вздулись, и он зарычал. Что это я себе позволяю?! Здесь парковая дорожка для променадов, а не велотрек для недорослей.

Помню, как он сказал о «недорослях» и как я усмехнулась.

Управляющий стал хватать ртом воздух.

— Черт побери! Они еще ухмыляются! Нет, это уже слишком! — рычал он. — Хотя ничего странного — мать занята на стороне и не уделяет должного внимания. Можешь передать матери, что я свяжусь с ней в самое ближайшее время! Причем письменно!

«И он туда же», — подумала я.

— Бывают такие дни, когда даже из постели вылезать не хочется, — любил повторять папа. Это было в то время, когда он рассказывал мне о верхоглядах.

Помню, как он посадил меня на колени и мы долго смотрели в окно. Потом я спросила:

— Папа, а все-таки кто эти верхогляды?

Он вздохнул и ответил:

— Такой странный народец, который всё за всеми повторяет.

— Всё? — переспросила я.

— Всё, маленькая жемчужинка!

— А если кто-нибудь из них стоит на одной ноге?

— Тогда и все остальные тут же встают на одну ногу!

— А если тот падает?

— То остальные валятся вместе с ним!

— А если кто из них пишет картину?

— То остальные тоже принимаются писать.

— Неужели все, папа?

— Все!

— Но мы же не верхогляды?

— Нет, маленькая жемчужинка, — ответил папа. — Мы не верхогляды.

Неделю за неделей думала я о верхоглядах, пыталась представить себе, где они живут, как подражают друг другу и как все это выглядит. Раньше меня это веселило.

Но тогда я и не подозревала, что верхогляды существуют на самом деле. А теперь у меня пелена спала с глаз. И Анна-София, и управляющий, и мама Анны-Софии, сплетничавшая о моей маме, ничего не зная о ней, — все они были верхоглядами.

— Все говорят, что твоя мать выйдет за отца Даниэля! — утверждала Анна-София.

Все. Все верхогляды.

— Что-то ты рановато, — сказала мама. Она сидела в шезлонге, положив ноги на каменный столик. — Ну? Как все прошло?

Я не отвечала, но и в дом не шла. Просто стояла и чертила узоры носком туфли. Вообще-то я ждала, что она отругает меня за желтую футболку.

Но она не ругалась, долго рассматривала меня, а потом сказала:

— Тебе идет эта футболка. Хочешь, подарю?

Тут я расплакалась, а мама встала и подняла меня на руки.

— Всё так плохо? — спросила она.

— Еще хуже! — всхлипнула я в ответ.

Она крепко держала меня на руках и укачивала, напевая песенку, — совсем как прежде:

> Эй, гусенок, не хворай,
> Пусть все будет хорошо.
> Песик, хвостиком виляй,
> Пусть все будет хорошо.
> Мышка, мышка, не болей,
> Пусть всем будет веселей.

И я рассказала ей все. Все, что говорила Анна-София и о чем якобы болтали люди. А когда дошла до того, как влепила рожок с мороженым промеж глаз Анны-Софии, мама расхохоталась и захлопала в ладоши.

— Великолепно! — воскликнула она. — А об управляющем забудь. Это я улажу!

— А остальное… — спросила я. — Про тебя и Петера?

— Верхоглядские бредни! — уверенно ответила мама.

Тем вечером я видела Гизелу в последний раз.

Мама стояла на кухне и делала нам бутерброды с колбасой.

— Дело, конечно, твое, — говорила она, — но Гизела так часто о тебе спрашивает. Она была бы очень рада!

Даниэль и Лукас сидели на скамье в нашей кухне и не спускали с меня глаз. Ясно было, о чем они думали. Я так и чувствовала, что они считали меня главной трусихой всех времен и народов. Потому что сами снова начали заходить к Гизеле в комнату. Мама рассказывала, что Лукас даже забрался к ней под одеяло.

Да, Даниэль и Лукас были правы. Я трусила. При мысли о встрече с Гизелой меня охватывал непреодолимый страх.

За окном ворковали голуби.

А завтра начнутся каникулы.

И завтра Даниэль поймает щуку.

Так что если и вправду существует Щучий бог, то Гизела выздоровеет в любом случае и мне еще представится случай навестить ее… если существует Щучий бог!

Мама мельком взглянула на меня:

— Хватит грызть ногти!

Павлины за окном возвестили о приближении вечера.

Но если Щучьего бога не было, то у меня всю жизнь будет камень на душе. Такой же неизбывный, как боязнь овчарок. Эта напасть уже так сроднилась со мной, что не помог даже папин способ. Если Щучьего бога не было, то сегодня у меня была последняя возможность доставить Гизеле радость. И все же я не знала, на что решиться. В конце концов, это было еще и решение за или против Щучьего бога.

— Да перестань же ты грызть ногти! — не выдержала мама.

Я испуганно вынула палец изо рта.

— Мы строим вашим планам новый дом! — пропел Даниэль и усмехнулся.

Если сейчас закричит павлин, то я пойду к Гизеле, решила я. И только я об этом подумала, как автомобиль управляющего с грохотом промчался по мосту и павлин закричал так громко, что у меня заложило уши.

Тем вечером я видела Гизелу в последний раз.

Она такая маленькая лежала на большой белоснежной кровати и была вовсе не похожа на прежнюю Гизелу. Ее руки сильно истощились, и она не могла раскрыть одну ладонь. Прозрачная кислородная маска закрывала нос и приоткрытый рот и прочно сидела на подбородке. Глаза ее тоже изменились. Они стали гораздо больше и темнее, и, когда она подняла их на меня, мне почудилось, будто они прожигают дыры на моем лице.

Я крепко держалась за мамину руку, но мама высвободилась и подтолкнула меня вперед, к краю кровати. Под маской я увидела улыбку Гизелы. Здоровой рукой она приглашала меня подойти поближе. Когда я склонилась над ней, Гизела сняла маску и прошептала:

— Как же я рада, что ты пришла, девочка моя!

Я видела, как на ее глаза навернулись слезы, но не знала, что сказать, и поэтому молчала. А Гизела просто притянула меня к себе и поцеловала. Рука на моем плече была легче перышка.

Вот, собственно, и все.

Моя мама помогла Гизеле снова надеть маску и спросила, не хочет ли она клубничного пюре. Но Гизела покачала головой, а Лукас, забравшийся на кровать с другой стороны, воскликнул:

— Завтра мы поймаем щуку, мам! Вот увидишь. Она вот така-а-я огромная!

Гизела закатила глаза и покачала головой, а Даниэль безмолвно стоял у изножья и робко улыбался.

Все это время Гизела вдыхала кислород из баллона так, что можно было подумать, будто с вокзала отправляется паровоз.

— Ладно, — сказала моя мама Даниэлю и Лукасу. — Пожелайте вашей маме спокойной ночи. А потом марш в ванную и не забудьте почистить зубы.

Она положила руку мне на плечо.

— И ты иди вместе с ними. А я еще задержусь.

Когда я обернулась на пороге, Гизела подняла руку и помахала мне, как махала раньше из окна конторы, а я, как и раньше, помахала ей в ответ.

— Разрази меня гром! — ругалась мама. — Готовишь вам, целое утро у плиты стоишь, а у вас в голове ничего, кроме рыб.

— Щук! — тихонько поправил Лукас.

— И теперь самый клев! — добавил Даниэль.

— А обед мы можем и вечером съесть. Пожалуйста, мама!

Мама вздохнула и закурила сигарету, а я подбежала к ней и обняла крепко-крепко.

— Задушишь! — рассмеялась мама и высвободилась. — Ладно, проваливайте.

Мы выскочили из кухни.

— Только смотрите не потеряйте мой лучший нож! Ясно?

И вот мы втроем перевесились через парапет и всматриваемся в воду. Солнце нещадно жжет нам спины. Из-под моста выплывает гагара, и Лукас бросает ей хлебные крошки. Даниэль медленно опускает в воду садок.

Вода под нами кишит рыбами. Красноперки жадно заглатывают крошки, и Лукас кричит:

— Вытаскивай!

Садок с красноперками вращался быстро. Как карусель. У меня от одного его вида голова закружилась.

Лукас криво держал ведро, а Даниэль вытряхивал в него содержимое садка.

Потом Даниэль сказал:

— Та, что посередине, вполне подойдет!

Лукас достал красноперку из ведра. Большим и указательным пальцем раскрыл ей рот. И когда рыбка округлила его буквой «о», зацепил крючок за верхнюю губу.

Услышав тихий хруст, я вздрогнула.

Крючок прошел насквозь.

Даниэль толкнул меня в бок.

— Она этого даже не заметила, — сказал он. — У них нет нервов!

Я знала, что это не так, потому что в книге о рыбалке говорилось, что рыбы прекрасно чувствуют боль, поэтому ловля на живца хотя и эффективна, но ужасна. Все это я читала, но не стала возражать. Лишь обрадовалась, когда Даниэль наконец-то бросил крючок с бьющейся красноперкой обратно в воду.

Мы принялись ждать, Даниэль разматывал леску, и красноперка уплыла далеко, а мы могли следить за ее передвижениями. Над нами парила отражавшаяся в черной глади цапля.

Когда красноперка совсем исчезла из виду, Даниэль потянул леску назад, чтобы проверить, сидит ли она еще на крючке. Рыбка ударила хвостом и снова попробовала освободиться.

— Так ничего не выйдет! — заявил Лукас. — Если щука сейчас не клюнет, она не клюнет никогда!

Даниэль снова ослабил леску.

— Осторожней! — предупредил Лукас. — А то она в заросли уплывет.

У берегов едва высилась над водой скромная растительность. И старые каштаны опускали свои ветви почти до воды. Словно пить хотели. Обвивающий их плющ уходил далеко под воду. Именно туда и направлялась красноперка.

А потом все случилось очень быстро. На долю секунды сверкнуло под водой серебристое брюхо. Одно мгновение было видно, как огромная щука широко оскалила пасть с двумя рядами зубов, а потом — лишь круги по воде и туго натянутая леска, ускользающая из пальцев Даниэля. Щука нырнула вглубь.

— Попалась!

Моток нейлоновой лески, плясавший в руке Даниэля, постепенно разматывался.

— Тащи! — закричал Лукас. — Да тащи же ты, наконец!

Но Даниэль покачал головой.

— Ей нужно время. Сначала она должна проглотить. Иначе она просто выплюнет крючок обратно!

— Взять сачок? — спросил Лукас.

Даниэль кивнул.

Лукас спустился к берегу с сачком в руках. За нашими спинами во двор замка въехала машина. Я видела только, что она была черной, но нам было не до нее.

— Вот там и стой! — закричал Даниэль Лукасу. — Я притяну ее к тебе!

Лукас опустил сачок под воду. Закусив губу, он как завороженный смотрел на леску.

Тут Даниэль подсек.

Леска напряглась и, казалось, вот-вот лопнет.

Над водой показалась щука.

Она была гораздо больше, чем я предполагала. Гораздо больше, чем на снимках в книге. Она боролась и била хвостом, рвала и кусала леску, но Даниэль крепко держал ее. Метр за метром притягивал он щуку к берегу. Но щука не сдавалась, и я даже понадеялась, что она порвет леску, но тут уже Лукас подвел под нее сачок, и щука оказалась в сетке.

Она извивалась и кусала ячеи. Пыталась порвать сеть.

— Мы поймали ее! — ликовал Лукас. — Мы и правда поймали ее!

Даниэль побежал к прибрежным зарослям, оба схватили сачок и вытащили его на мост. Щука лежала неподвижно, ее мощные жабры вздымались и опускались. У нее была большущая пасть, и я разглядела зубы — они были плотно пригнаны друг к другу, сотни зубов, и все были заострены, как кошачьи.

Щука была красива. Она переливалась зеленовато-серебристым цветом, казалась дикой и опасной. Даже сейчас, когда уже была при смерти.

Даниэль взял в руки палку.

Я отвернулась.

Не хотела смотреть, как он станет бить щуку. Как вонзит кухонный нож ей в голову. Как щучье сердце будет биться у него в руке.

Я взглянула наверх. Небо над красной крышей замка было высоким и бесконечно голубым. На кровельном лотке сидели голуби. Я увидела окно нашей кухни. Оно было закрыто. За стеклом стояла мама, она курила и плакала.

Я медленно двинулась к арке ворот. У крыльца Гизелы стояла скорая помощь. Входная дверь была распахнута настежь.

Увидела Петера, спускавшегося на двор по трем ступенькам. С опущенной головой. Он шел как старик, очень медленно и устало. Прошел совсем рядом со мной и не заметил меня.

А потом я услышала крик Лукаса:

— Папа! Мы поймали ее! Папа, смотри, какая она большая!

И я обернулась. Петер присел на корточки и обнял сыновей. Трое склонились друг к другу головами, и я видела, как вздрагивает от рыданий спина Петера.

А рядом в пыли валялась щука.

Перевесившись через парапет, я взглянула на ров.

Две стрекозки пролетели мимо в радостном танце, гагара клевала что-то на берегу, а стайка красноперок загорала у самой водной глади.

Все было как всегда — так, словно ничего и не случалось.

Литературно-художественное издание
Для среднего школьного возраста
Маркировка согласно Федеральному закону №436-ФЗ: 12+

Рихтер Ютта
Щучье лето

Перевод с немецкого и предисловие Святослава Городецкого
Редактор Элла Венгерова
Корректоры Надежда Болотина, Мария Гардер
Иллюстрации и обложка Евгении Двоскиной
Верстка Анастасии Колбиной
Ведущий редактор Наталья Лесскис
Шеф-редактор Марина Кадетова
Директор издательства Виталий Зюсько

Регистрационное свидетельство
№ 5087746578123 от 11.12.2008
ООО «Издательский дом «КомпасГид»
101000, Москва, Лубянский проезд, дом 5, стр.1
Тел. (495) 624 24 28
E-mail: books@kompasgid.ru
www.book.kompasgid.ru

Подписано в печать 26.06.2013
Формат издания 60х84/16
Печать офсетная
Усл. печ. л. 6, 045. Тираж 3000 экз.
Отпечатано в филиале «Смоленский полиграфический
комбинат» ОАО «Издательство «Высшая школа».
214020, Смоленск, ул. Смольянинова, 1.
Тел.: +7(4812) 31-11-96. Факс: +7(4812) 31-31-70.
E-mail: spk@smolpk.ru   http://www.smolpk.ru
Заказ № 35305 (Л – Sm).